地球から来た男

角川文庫
14735

地球から来た男

目次

ゲーム	一九
戦 士	一二五
来客たち	一二九
疑 問	一四九
向 上	一六七
ある日を境に	一八一
能 力	一九〇
解 説　桜庭一樹	

イラスト　片山　若子

地球から来た男

気がつくと、おれは野原に横たわっていた。砂漠でなく草がはえているだけ、まだましかもしれないと思った。いや、こうして呼吸していられることに、第一に感謝すべきだろう。

からだを起こし、あたりを見まわす。小さな丘が並んで、まわりを取りかこんでいる。おれのいるのは、くぼ地というべき場所だった。どこにも人影はない。当り前のことだ。丘の上にあがり、むこうを眺めようかとも思ったが、その気にはならなかった。どうせ、ろくなものはないにきまっている。怪獣のたぐいに対面して悲鳴をあげるのは、少しでもおそいほうがいいというものだ。なにしろ、ここは他の惑星なのだから。

おれはまた寝そべり、空を見あげた。明るい薄曇りの空。かりに曇っていなくて夜だったとしても、おれには星座の知識など、まるでない。地球がどっちの方角なのか、見当のつけようがない。どっちをむいて望郷の念をいだけばいいのか、それすらわからないというわけだ。いたたまれない気分。さびしい。なんという残酷なことだ。おれをこんな目にあわせやがって。郷愁を持てあましながら、ここでいつまでもすごさなければならないとは。

いっそのこと、おれの過去の記憶をみんな消し、その上でこうしてくれたほうが、まだ人間的なあつかいといえる。まったく、ひどい話だ。おれはなにもかも思い出せるのだ。

おれは小さな調査会社につとめていた。商品についての消費者の感想とか、新製品の購買層とか、地区別の好みの差異とか、経営状態とか、さまざまな依頼を引き受け、調査するのが仕事だった。

ある日、上役に呼ばれた。

「出張してくれないか」

「いいですよ」

おれが承知すると、上役はある大企業の名をささやいてから言った。

「つぎつぎと新製品を出している会社だよ。そこの研究所でどんなものを開発中なのか、調べてくれ。競争相手の会社からの依頼なのだ」

「ははあ、産業スパイをやれと……」

「早くいえば、そういうことだ。成功したら謝礼をはずむという。たのむよ」

「まあ、なんとかやってみましょう」

　おれはその研究所の所在地に出かけた。ホテルに腰をおちつけ、あちこち聞きまわったが、さすがに機密保持の管理がゆきとどいていて、情報はさっぱり入手できない。こうなったら、潜入して調べる以外にない。おれは町で知りあった所員のひとりに酒をすすめ、酔いつぶし、身分証明証とバッジとを手に入れ……。

　うまいぐあいに研究所の門を入れたというものの、内部の警戒もこれまた厳重。たちまちパトロールの守衛にとっつかまってしまった。建物の一室に連行された。保安部門の責任者らしいのが、おれに言った。

「おまえ、産業スパイだな」

「まあ、そんなところで。ちがうと弁解しても、聞いてはくれないでしょう」

「犯行をみとめたな。重罪だ。処罰する」

「処罰ですって。ぶんなぐるかどうかするんですか。暴力はいけませんよ。そもそも、そんなことをする権限はないはずだ。警察へ突き出すというのなら、話はわかります。

しかし、まだなんの情報も盗んでいない。微罪釈放になるにきまっている」

「甘く考えるな。企業には自己の機密を防衛する権利があるんだ」

「いったい、わたしをどうしようと……」

「追放の刑に処す」

「なあんだ、大げさな表現ですが、つまりは追いかえすということですね」

「ほっとするな。追いかえしても、またやってくるだろう。それでは困るのだ。二度と来られないようにする。文句を言いに戻れないところへ追放するのだ」

「そんなところがありますか」

「あるとも、地球外へ追放する」

「まさか……」

笑いかけるおれに、相手は言った。

「かなり前に、この研究所でテレポーテーション装置を開発した。画期的な発明にはちがいないが、重大な欠点があった。この地球上で使えればいいのだが、どう改良しても、近距離ではうまくいかないのだ。ほかの星に送る役にしか立たない。そのため、この研究は中止になった。しかし、こういう時の役に立つ」

「なんです、そのテレポとかいうのは」

「物質を電波に変え、到着地で再構成させることだ。あっというまに、ものを遠くに移してしまう。まあ、そんな原理の説明は、この際どうでもいい。つまり、それを使っておまえをほかの星に追放してしまうというわけだ。どんなところか知らないが、そこがいい星であるよう祈ってやるよ」

事態が少しのみこめ、おれは青くなった。

「そんな無茶な。ひどすぎる。わたしには妻子もある。別れの言葉もかわさせないなんて」

「同情はするよ。しかし、それを許してみろ。たちまち警察ざたになるし、ここの企業の秘密も守れない。あきらめてくれ」

「いやだ、助けてくれ……」

「じたばたしてもむだだ。テレポーテーション装置にかける前に、まず注射をする。うまく電波に変りやすくするためにな」

「やめてくれ……」

必死にあばれたが、おれは押さえつけられ、注射をされた。恐怖と不安のなかで、しだいに気が遠くなってゆく。まさか、こんな目にあわされるとは。おれは電気的なショックを感じた……。

そして、われにかえったら、この野原に横たわっていたというわけなのだ。

そんなことを、おれはくりかえし回想しつづけた。といって、いつまでも寝そべったままでもいられない。腹もすいてきたし、のどもかわいてきた。なんとかここで生きてゆく手段を見つけなければならない。いずれ死ぬにせよ、この未知の惑星をこの目で見きわめておきたい。

立ちあがり、歩き、丘をのぼる。どうせ、ろくな光景は展開していないにきまっている。しかし、丘の上にたどりつくと、その思いはいい方に裏切られた。地球と大差ない眺めだったのだ。畑があり、そのあいだには道もあった。

ということは、ここにも住民がいるとの証明になる。どんなやつらだろう。善良であればいいが。しばらくたたずんでいると、人影が見えた。道を歩いてくる。おれは思わず丘をかけおり、そいつに近づいた。地球人的な服をつけた男だった。しかし、そこで気がつく。どう話しかけたものかと。言葉の通じるわけがない。

相手はおれの顔をふしぎそうに見ていたが、やがて口を開いた。

「道に迷ったのですか」

「あ、言葉が通じる……」

「妙なことをおっしゃる」

「もしかしたら、あなたもテレポ装置で送られてきた……」

「なんのことやら、わかりませんな」

しかし、いずれにせよ、ありがたかった。ここの住民はテレパシー能力を持っていて、おれの内心を読み、その言語で話しかけてきたのだろうか。相手は言った。

「どこからいらっしゃったのですか」

「驚かないで下さい。決して、驚いたり笑ったりしないで下さいよ。信じられないかもしれませんが、これは重大なことなのです。わたしは遠くから来たのです。とてつもなく遠くから。どこからだと思いますか。わからないでしょうね。言いましょう。地球という星からですよ」

相手はいくらか緊張しかけたが、おれが結論を言うと、もとの表情に戻った。

「あ、そうですか」

「あっけない返事ですね。少しは驚いてくれるかと思っていたのに。宇宙人という、奇異な目で見られなくてすみ、ありがたいと感じるべきなのだろうか。それにしても、わたしはいま、どこにいるのだろう。いったい、ここはなんという星です。答えてもらっても、どうしようもないことかもしれないが、ぜひ知りたい。ここはなんという星です」

「地球ですよ」

「地球……」

おれはその言葉を、口のなかで何回かつぶやいてみた。どういうことなのだ、これは。そして、つまらない質問をしたものだと気がついた。地球とは〝自分たちの住むこの星〟という意味ではないか。ほかに表現のしようがない。相手は言った。

「お疲れのようですね。駅まで連れていってあげましょう」

「ありがとう。案内して下さい」

進むにつれ、人家が見えてきた。そのへんに書いてある文字も読める。ここは地球と同じといっていい程度の文明を持つ星のようだ。駅のそばに来た時、おれは聞いてみた。

「あのレストランで食事をしたいのだが」

「なにかお困りのことでも……」

「こんな紙幣しかないんだが……」

おれがポケットから出した紙入れをのぞいて、相手はうなずいた。

「それだけあれば大丈夫ですよ」

「それは助かった……」

宇宙には無数の星がある。そのなかには、地球とそっくりの星もある。そんな話を、おれは何度も聞かされたし、本で読みもしたものだった。どうやら、そこへ来てしまったらしい。まさに幸運というべきだろう。

食事はおれの口に合った。また値段もほどほどだった。レストランを出て、おれは駅に入る。壁にはってある地図をながめる。なんと、それは見なれたものだった。おれは驚くと同時に、それでいいのだという気にもなった。ここは地球そっくりの星なのだ。

おれは自分の住んでいた都市と同じ名の駅をみつけ、そこまでの切符を買い、乗車した。窓のそとを流れる景色は、これまた親しい感じのものだった。

これでいいのだと思うものの、一方、異様な気分も押さえきれなかった。なにしろ、こんなにまで地球そっくりの星。街を歩いていて、自分そのものに出あったようなものだ。心のなかが、むずむずする。

都市に着く。おれの住んでいた地球のそれと、まったく同じ。地球にいるのだという錯覚におちいりさえする。大ぜいの人びと。しかし、そのなかに、おれの知り合いはひとりもいないのだ。そう考えると、浮きあがったとでも形容すべきか、仲間はずれの悲しい気持ちになる。

しらずしらずのうちに、足は自分の家の方角に進んでいる。そこでは、自分そっくりの人物が、妻子とともに暮しているはずだ。訪れたら、そいつはさぞ驚くことだろう。悪いような気もするが、会って見たいという好奇心は押さえられない。夕ぐれの時刻になっていた。

そこは、ある団地の二階。おれはドアの前に立ち、ブザーを押す。なかで女の声がした。

「どなた……」

「ご主人はおいでででしょうか」

「いま出張中ですが……」

あ、そうかと、おれは思った。ここは鏡のむこうの世界のように、地球そっくりの星なのだ。すると、この家の主人は、おれと同じように出張にでかけ、そこでへまをしてとっつかまり……。

「お気の毒なことですが……」

「え、主人の身になにか……」

ドアが開き、緊張した顔の女があらわれたが、すぐに笑い声となった。

「……なんだ、あなただったのね。おかえりなさい。たちの悪いいたずらは、なさらないでよ。びっくりしたわ」

「それが、その……」

おれは同情した。この女、自分の亭主がこの星から追放されたことを、知らずにいる。そして、地球から追放されてきたおれを、自分の夫と思いこんでいるのだ。

「そんなとこに立ったままでいないで、なかへお入りなさいよ」

「ああ……」

おれはそうした。事実を話して相手を悲しませるのも悪い。それに、信じてくれるかどうかも、うたがわしい。また、この星で生活してゆくのに、ここの亭主になりすますのが最も容易な方法なのだ。

夕食となる。三歳になるむすこ。おれを父親と思いこんでいる。テレビ。そのへんにある雑誌。それらを見ているうちに、おれは地球に残してきた妻子のことを思い出した。いまごろ、どうしているだろう。

「どうなさったの、涙ぐんだりして」

「いや、その、なんでもないよ」

「きっと出張で疲れたのよ。きょうは早くおやすみになったら」

「そうしよう」

しかし、その夜、おれはなかなか眠れなかった。他の星での第一夜だ。すぐ安らかに眠れるわけがない。

朝になる。

「あなた、起きなさいよ。会社におくれるわよ」

「そうだな……」

はるか遠い星へ着いてそうそう、つぎの日から働くことになるとはな。しかし、それをする以外に、おれの生きてゆける道は思い浮かばなかった。ここは地球と同じすぎる。いくらかでもちがっていてくれれば、おれは地球についてくわしく話し、宇宙からの来訪者としての特別な待遇を受けられるのだろうが。

会社がどこにあるのか、おれはよく知っている。そして、上役や同僚がどんなやつかも。上役がおれを見て言った。

「どうだった、成果は……」

「だめでした。とてもむりです。警戒厳重、たちまちとっつかまり、ひどい目に……」

それは遠い星、地球でのできごとだ。しかし、ひどい目にあったことは事実。そう答える以外になかった。

「ごくろうだった。まあ、いいさ。気にするな。いずれかわりの者を派遣しよう」

「それはやめたほうが……」

おれのような目にあうかもしれない。

「なぜだね」

「それは……」

おれは答えに困った。地球にいるような気分で、第二の犠牲者が出ることを心配してしまったのだ。この星でなら、そうはならないですむかもしれない。

「気にするなよ」

と上役はくりかえした。おれは仕事に戻る。すべて手なれた仕事だった。地球でのそれと、なにかちがった点があるかと気をつけて調べたが、まったくなかった。変化のない毎日がはじまり、つづいてゆく。

しかし、それはあくまで外見だけのこと。内心は孤独だった。だれもがおれを普通にあつかってくれる。しかし、だれひとり、おれが地球から来た者だと気づかないでいる。すまない気分。だから、親しくされればされるほど、気が重い。理解されない悲しさ。

同僚が言った。

「いつかの出張以来、なんだか沈んでいるようだぜ」

「ああ……」

「どこか悪いんじゃないのか。医者にみてもらえよ」

おれはそれに従った。

「どうなさいました」

医者に聞かれ、おれは言った。

「わたしは孤独なのです」

「だれでもそう感じていますよ。もっと具体的に、くわしくお話し下さい」

「じつは……」

おれは、ありのままを話した。医者はもっともらしい表情でうなずいてくれた。しかし、内心では信じていないことが、おれにはよくわかった。医者は言う。

「なるほど、なるほど。で、この星に来られてから、生活上なにか不便なことでも…

…」

「べつに。しかし、わたしの言いたいのは、そんな点じゃないんですよ。故郷の地球

が恋しくてならないのです。理屈じゃないんです。わかって下さいよ」

「わかりますよ。しかし、こう考えたらどうでしょう。ここが、すなわち、あなたの故郷の地球だと。テレポなんとかのことは夢だったと。努力すれば、できるはずです」

「先生、それは無理ですよ。ちがう惑星へ送られ、そこを故郷と思えだなんて」

「困りましたな。いま、あなたは、ちがう惑星とおっしゃった。どこがどうちがうのか、その指摘をして下さい。そうなれば、もっとご相談に乗ってあげます」

「はあ……」

おれは引きあげた。ちがいが発見できるかもしれないと思いながら。しかし、それは、そう簡単ではなかった。この星は、なにからなにまで、地球そっくりなのだ。にくらしいほど、巧妙にできている。いらいらし、腹が立ちさえする。おれの手におえないのだ。医者へ行って話す材料もない。

おれは思いつき、旅に出た。あの大企業の研究所のある場所へだ。それは、そこにあった。おれは面会を求め、保安部門の責任者に言った。

「先日はお手数をおかけしました」

「さあ、なんのことやら、よくわかりませんな」

「この建物のなかに、テレポーテーション装置とかがあるはずだ」

「聞いたこともない名ですな」

「企業の秘密なんだろうが、あるはずだ。それでおれを、もとの地球という星へ送りかえしてくれ」

「ここは地球ですよ」

「おれの故郷の地球へだ。たのみます。なんとかお願いします」

「できることなら、ご希望をかなえてあげたい。しかし、あなたはその、テレポ装置とかを、ごらんになったのですか」

「いや……」

「お気の毒ですが……」

とりつくしまがなかった。帰る方法はないのだ。といって、この異境に順応もできない。おれは心を持てあましている。

あれから何年ぐらいたったろう。おれはまだ、地球に帰れずにいる。故郷の妻子はどうしているだろう。そう思うたびに、どこからともなく声が聞こえてくる。

「住みごこちはどうだい」

見まわすが、だれもいない。幻聴というのかもしれない。ここの住みごこち、必ずしも悪くない。しかし、地球はおれの故郷の星なのだ。

こんなおれにも、少しだけ心の休まる時がある。仲間ができたのだ。いつだったか、どこかのバーで知りあったやつだ。地球で税務署員だったそうだ。あの大企業の研究所へ調べに行った時、おれと同様にとっつかまり、むりやりここへ追放されてしまったという。彼はここでも同じ職についている。

おれたちは〈地球人の会〉というのをこしらえ、時どき会っている。そのうち、この仲間もふえるのではないだろうか。

会といっても、いっしょに酒を飲むだけのことだ。そして、遠くにある故郷、地球のことの思い出を話しあう。そんな夜は、おれたちの心のなかで、なつかしさがとめどなく波をうちつづける。

夜の迷路

その青年はひとりで暮していた。小さな会社につとめていたが、同僚たちとの仲はあまり親しいものではなかった。仕事においてとくに優秀というわけでなく、重要視されていなかったのだ。早くいえば、みなに軽くあしらわれていた。彼はそんな状態を、なんとか改善しようともしなかった。そんな積極性のないことを、自分でもよく承知していたのだ。

また、会社外においても、友人らしい友人はほとんどいなかった。社交的な性格でなかったのだ。なにか趣味といえるものを持っていれば、それを通じて話しあえる仲間ができたかもしれない。しかし、彼は趣味を持たなかった。音楽に関心がなく、勝負事はへただった。スポーツをやろうかと考え、少しはやってみたこともあったが、すぐ息切れがし、激しい運動が無理なことを知ってやめた。

青年は小さな部屋を借りて住んでいた。そこの管理人とは時たま口をきくが、単なるあいさつ、事務的な話、それ以上に発展することはなかった。

青年の毎日は孤独だった。むだづかいをしないので、金に困ることはなかった。それを持ってバーへ出かけてみたこともあった。

「あら、すてきなかたねえ」

そんな言葉に接することはできた。しかし、それは金銭で買った言葉だった。口先だけのサービス。そのことは青年にもよくわかった。自分はハンサムでも、男性的でもない。ユーモアにあふれているわけでもない。女性にもてないのも当然だ。まじめではあったが、ぱっとしないきまじめさというものは、魅力的とはいいがたい。

だから、彼の唯一のなぐさめはテレビだった。帰宅すると、それにながめいる。画面にあらわれるさまざまな人と、彼は親しくなった。しかし、彼のほうがそう思い込んでいるだけで、むこうが彼をそう思っているわけではなかった。

その青年は暖かい声をかけられたことがなかった。どんなにそれを望んだかしれない。しかし、実際にそうなったことはなかった。長いあいだ、ずっと孤独だった。

ある夜。青年は眠りにつこうとした。眠ったところで、にぎやかな夢を見られるわけでもない。だから、眠りもそう楽しいものではなかった。ひとりぼっちの夜。

その時、彼は声を聞いた。

くすくすと低く笑う声。若い女の声らしかった。楽しげな感じにあふれている。彼は目をあけ、身をおこして、あたりを見まわした。もちろん、人の姿はなかった。

「気のせいだったようだ……」

青年はふたたびベッドに横たわり、目を閉じた。すると、またもくすくす笑いが聞えてきた。いやな感じはまったくない。

「どういうことなのだろう」

つぶやいてみたが、答えはえられなかった。彼は酒を飲み、酔いとともに眠りに入った。

つぎの日は一日中、なんとなく楽しかった。昨夜のくすくす笑いを思い出すと、心のなかがなにか明るくなる。彼にとって、それほど印象的なものだったのだ。もう一回あれを聞くことができるだろうか。

その夜、眠ろうとすると、青年はまた笑い声を聞いた。昨夜のと同じだった。聞ければいいな、聞けるんじゃないかな。そんな期待にこたえるかのように、声はひびいてきた。二回目なので、ふしぎさと驚きは少し薄れている。

その余裕で、声に含まれている感情を味わうことができた。くすくす笑いには、好ましさがあった。あざけり、からかい、そんなたぐいのものではない。また、それは自分にむけてのもののように思われた。そのことは新発見だった。なぜという理由はない。直感だった。自分に好意を持ってくれている存在らしい。

青年は起きあがった。声はまだ聞えている。だれなのだろう。どこにいるのだろう。そう遠くではないようだった。彼は廊下へのドアをあけてみた。しかし、そこに人影はなかった。つぎに窓をあけてみる。そこにもだれもいなかった。となりの部屋からだろうか。それはありえないことだった。そこには、そんな笑い方をする者など住んでいない。また、これまでに壁ごしに声の伝わってきたことはなかった。

くすくす笑いは、つづいている。彼は服を着て、廊下に出てみた。やはり声は、そちらのほうからのように思われたのだ。声が少し身ぢかになった。そして、建物のそとへ出てしまった。青年はそれを追いかけた。といっても、姿は見えない。だから、追うというのは正確ではないかもしれない。声に魅せられ、引き寄せられる形で夜の街をさまよったというべきかもしれない。店のしまった商店街、公園、裏通り、そんなところを歩きまわったのだ。

かなりの時間をついやし、青年は部屋に戻った。声との散歩といえた。それは楽しいものだった。姿は見えないが、声はあるのだ。そして、好意と判断するのは早すぎるかもしれないが、少なくとも、自分に関心を持ってくれてはいるようだ。彼にとって、はじめてのことだった。

いく晩か、そんなことがつづいた。楽しげな、くすくす笑い。声だけだが、それでもいいではないか。はじめはそう思ったものだったが、やがてものたりなくなってくる。もう少しでいい、なんとかならないものだろうか。唯一の友なのだ。しかも異性の。このままではつまらない。彼はいらいらした。

声といっしょの夜の散歩の時、その思いが言葉となって口から出た。

「ねえ、なんとかならないものかな」

くすくす笑いが中断し、声となった。

「あら……」

そしてまた、低い笑い声がつづく。青年は少し驚いた。簡単ではあるが、応答してくれたとは。まさかそうなるとは思わず、いままでやってみなかったのだ。

「返事をしてくれたんだね」

「ええ……」

「いったい、きみはだれなんだい」

「さあ……」

あいまいなものだった。そして、くすくす笑いとなる。それでも、青年はその夜、かなり満足した。返事があったのだから。無縁のものではないのだ。あれは自分に対しての答えだった。あの返事の声からみて、若い女のようだった。

それからも夜ごと、散歩とともに簡単な会話がかわされたのだった。

「もっと、なんとかならないのかい。これじゃあ、つまらないよ」

「あら……」

「ぼくをきらいなのかい」

「いいえ……」

「じゃあ、なぜ」

「でも……」

とらえどころがなかった。そして、くすくす笑い。それでも、返事はあるのだ。きらいでないと言っている。青年にとって、いままでに、これほど親しさのこもった会話の体験はなかった。心のなかで、ずっとあきらめていた炎が燃えあがりはじめた。それは、もうとめようがない。だから、いっそう彼を苦しめることにもなるのだった。

青年は食欲がへった。はじめての恋のようなものだった。対象がはっきりと存在していないのだから、恋と呼ぶのは正確でないかもしれない。しかし、その感情はまさしく恋そのものだった。といって、あきらめ無視することもできない。

くすくす笑いは、それはとても魅力的なのだ。夜それを耳にすると、理性では押えようがなくなってしまう。幻の声とつきあったって、しようがないじゃないか。そんな考えは、たちまち消えてしまうのだ。

夜の街へと、青年はさまよい出てしまう。部屋のなかで会話することはできないのだ。笑い声は少しずつ遠ざかり、それをはっきり聞きとるには、あとを追う形でそとへ出なければならないのだ。そして、むなしい会話をくりかえす。

「これ以上は、どうしてもだめなのかい」

「さあ……」

「ぼくは苦しむばかりだ。悩むのはもうたくさんだよ」

「そうしてほしいの……」

つづいて、くすくす笑い。笑い声はまもなく消えた。青年は夜の道を、ひとりさびしく帰らなければならなかった。

つぎの夜、声はあらわれなかった。青年は、たまらない気分になった。あの、楽しく好意的な笑い声。それのなくなった損失の大きさを、痛いほど感じさせられた。あれは自分にとって、最も貴重なものだったのだ。眠れない長い夜。

もう二度と、あれを聞くことはできないのだろうか。軽率なことを言ってしまった自分を後悔した。あれを聞きたい。耳にしたい。

その次の夜。笑い声はふたたび現われた。青年はほっとし、心はうれしさであふれた。また夜の散歩へ出る。

「もどってきてくれたんだね」

「まあね……」

「もう逃げたりしないでおくれ」

「たぶんね……」

くすくす笑い。青年は昼間、会話を思いかえしてみる。しかし、声がなにを考えているのかとなると、よくわからなかった。好ましい存在であるという以上には。もどかしさが残る。彼はそれを持てあまし、食欲は依然として回復しなかった。恋は体重を減少させる。

「無理なんだろうが、ぼんやりとでもいいから、姿を見たくてならないよ」

さほどあてにしないで言った。くすくす笑いにつづいて答えがあった。

「じゃあ……」

ぼんやりとした、白い形があらわれた。よくはわからない。しかし、笑い声から想像していた通り、やはり好ましい感じの形だった。具体的にどうとは形容しにくい。

だが、楽しさにあふれた動き方だった。青年は恐る恐るさわってみた。なんの手ごたえもなかった。

だれかに見られたら変に思われるかなとも思ったが、人と会うことなしにすんだ。真夜中すぎ、青年は部屋に帰る。姿も声も消える。この奇妙な交際のことを何回も頭のなかで味わい、彼が眠るのはそれからしばらくたってからだった。

彼はいくらか満足した。しかし、それもそう長くはつづかない。

「もう少し、はっきりならないものかな」

依頼というより願望だった。声は言った。

「こう……」

まだぼやけているとはいうものの、これまでよりいくらかよくなった。白っぽい服を着た女性とわかるようになった。二十歳ぐらいだろうか。髪の毛は少し長めで、健康的な感じだった。くすくす笑っている。

だれかとすれちがったが、奇異な目で見られることもなかった。夜の散歩は、一段と楽しいものになってきた。

ある夜、青年は管理人に言われた。

「毎晩お出かけのようですね」

「ええ、じつは親しい友人ができまして」

「女の人ですか」

「ええ」

「変なことにならないで下さいよ。夜おそくの二人での散歩。気をつけて下さい」

度をすごさないようにとの注意だった。

「誤解しないで下さい。手をにぎったことさえないんですから」

青年は強く主張し、相手はなっとくした。手をにぎろうとしたことはあったのだ。しかし、なんの感触もない。いっしょに歩いている。それだけで満足しなければならないのだった。

つとめ先の同僚から、こう話しかけられたこともあった。

「このあいだの夜、きみが歩いているのを見かけたよ。ずいぶんおそい時刻だった」

「見られちゃったか」

青年はいささかとくいでもあった。自分にも女の友だちがいるのだ。同僚は首をかしげながら聞いた。

「しかし、ひとりでなにを……」

「ひとりじゃないよ」

青年はむきになった。同僚はとまどい、しばらく考え、青年をむりやり医者に連れていった。

「だいぶ疲れておいでのようですな」

と言いかける医者に、同僚は説明した。

「そんなことじゃないんです。こいつが夜ひとりで歩いているのを、わたしは見ました。しかし、だれかといっしょだったと主張するので……」

「では、くわしく話をお聞きしましょう」

医者は青年と二人だけになり、質問した。青年はありのままを話した。

「というわけなんです。ぼくはそれで楽しいんですが、異常なのでしょうか」

「なるほど、孤独感がうみだした幻影といったところですかな。無人島に漂着した人、荒野《こうや》をさまよう人、そんな場合にこのような幻覚を持つという例はあります。いまの社会も、それと大差ないといえるかもしれませんな」

「よくない症状なのでしょうか」

「そうとも言いきれません。あなたはそれによって満足している。他人に迷惑を及ぼすこともなさそうです。その幻影を無理に消すと、もっと悪い形であらわれかねない。とりたててさわぐこともないでしょう。もっとも、他人に話さないよう注意なさることですね。変に思われます」

「ひとつ、同僚にはなんとかうまく……」

「ええ、ねぼけるという現象の軽度なもの、とでも話しておきましょう」

いちおう、それで片づいた。

孤独感のうみだした幻影か。それでもいいじゃないか。青年はそう思った。くすくす笑いをともなう幻影は、それからも現われつづけた。それでもいいとはいうものの、青年はもっとリアルになることを期待した。

「顔をよく見たいんだが」

「じゃあ……」

幻影はいくらかはっきりした。目もとや口もとがわかるようになった。愛らしい顔で、うれしそうに笑っている。

すてきだなあと、青年は思う。彼女はぼくのものなのだ。少なくとも、他人に取られることはないだろう。

彼女はしだいにリアルになってゆく。まつ毛の一本一本まで見わけられるようになった。それに、たのみもしないのに、においまでついてきた。さわやかで甘く、魅惑的な若々しいにおいだった。心をそそられ、飛びつきたくなるような衝動にかられた。

青年は手で抱きしめてみた。しかし、実体はないのだった。なんの感触もなく、自分の両手が合わさっただけ。それでいながら、彼女の姿はそこにあり、大きな目で青年を見つめ、くすくす笑っている。

「どうして、こうなんだろう」

「さあ……」

彼の思いは高まる一方だった。これ以上は、どうにもならないのだろうか。そうだろうな。なにしろ幻影なんだから。しかし、こんな残酷なこともなかった。声があり、姿があり、においまでありながら……。

もどかしく、くやしく、青年はいらいらして眠れなかった。眠れないまま、あれこれ考えてみた。しかし、どうしたらいいのかとなると、わからなかった。依然として食欲もおきなかった。それどころではないのだった。

夜の散歩の時、話しかけてみる。

「こんなの、ひどすぎるよ。なんとかならないのかい、もう少し」

「あなたしだいよ」

いままでとちがって、いくらか意味のある応答があった。青年はちょっと勇気づけられた。

「どうすればいいんだい」

「さあ……」

ここでいつもの、あいまいな答えに戻ってしまう。この会話は何回かくりかえされた。いらだたしさは高まり、青年はさらに悩むことになるのだった。なにか方法があるらしいのだが、それがわからない。

そして、ある夜。

いつものように散歩に出た。そばには彼女が並んでいる。楽しげな、くすくす笑い。みずみずしい肌。眺めているうちに、青年は彼女に対し実在感をおぼえた。いまなら抱きしめられる……。

青年はそれをやった。腕を肩にまわす。

なんということ。手ごたえがあったのだ。やわらかく、若々しく、はずみのある感触。彼女はくすくす笑っている。青年は手に力をこめ、彼女を自分のほうにむけ、顔を見つめ、キスをした。彼女のくちびるのなめらかさを感じることができた。

「これでいいのだろうか」

彼は彼女の顔を眺めなおしながら言った。信じられぬ思い。こうなることをあこがれてはいたが、まさか実現するとは考えてもみなかった。しかも、こう簡単に。

「いいのよ」

女は答えた。彼を見つめかえす。その視線を感じることもできた。もう、くすくす笑いはしなくなっていた。まじめな表情だった。青年はたしかめるように言った。

「これで、きみはぼくのものだ。現実にぼくのものなのだね」

「ええ、そうよ」

「これからの日々のことを考えると、夢のようだ……」

青年はほっとし、みちたりた思いで帰りかけた。あしたの晩も、あさっての晩も、このようなぐあいに会えるのだ。すると、女が言った。

「帰ること、ないんじゃないの」

「しかし、もう時間もおそいし……」

「帰らないほうがいいんじゃないかしら」

「だけど……」

なぜそう言われるのかわからないが、青年は帰った。人が集っていて、ざわめきがあった。自分の部屋のドアのところでだった。なんだろう、こんな時間に。人びとのなかには管理人もいた。青ざめている。青年は背のびをし、のぞきこんでみた。なかば開いたドアのところに倒れている者がいる。彼はそれを見た。

それは自分だった。

「なぜ、こんなことに……」

思わず大声で叫んでいた。しかし、それはだれの耳にも入らないらしかった。ふりかえる者もいない。やがて医者がやってきて、倒れているからだに触れて言った。

「もう手おくれです」

管理人が質問していた。

「原因はなんでしょう」

「くわしく調べないとわかりませんが、栄養不足のようです。食料が手に入りにくい時代でもないのに、ふしぎなことです。なにかよほど悩みごとでもあって、食事どころではなかったのかもしれません。それに、ほかの原因が加わって……」

「そういえば、睡眠不足の生活のようでしたよ。夜おそくまで外を歩いていたりしましたからね。朝は朝で、普通に起きていた」

「睡眠不足はいけません。ぐっすり眠れればまだしも、浅く短い眠りでは……」

そんな会話を聞き、青年は驚きながら、そばの女に言った。

「ぼくは死んだのか」

「そういうことね。あなたはもう、あたしのものよ」

「そういうことは……」

「いやな気分……」

と女が質問してきた。青年は答えを考えながら、女の手をにぎった。あたたかく、すべすべしていた。少し強くにぎりかえされた。青年は言った。

「いやなことなんかないよ……」

そして、彼はくすくす笑った。

改善

おれは社員が二百人ほどの、ある会社につとめている。入社して、ちょうど一年ほどだ。まだ独身。これまで大きな失敗もなく、なんとかやってきた。これからも、仕事の上では無難な日々をつづけてゆくはずだ。

仕事が一段落し、おれはタバコを吸っていた。まだなにも言われたわけではないのだが、あしたあたり、西のほうへ一週間の出張を命じられるのじゃないかと思った。それもいいだろう。出張はきらいじゃないのだ。

翌日になる。午前の十一時ごろ、課長はおれを呼んで言った。

「ごくろうだが、あすから西のほうの出張所をまわってきてくれないか。一週間の日程だ。休日がはさまるが、できたら、小売り店のようすも見てきてもらいたい。それだけの日当は出すから」

「はい、わかりました」

その日の午後は、各地の出張所の、いままでの販売統計を調べたりした。そのあいまに手を休め、今度の出張のことを考える。

行きの列車のなかで、ちょっときれいな女がとなりの座席にすわってくれるだろう。しかし、それ以上に発展することはない。彼女の性格はまじめであり、おれも会社の仕事で日程がつまっているからだ。

つぎの日、おれは列車に乗る。発車まぎわになって、若い女性が乗車してきて、おれのとなりの席にかけた。予想していた程度に美しい女だった。

「どちらまでです……」

おれは話しかけ、彼女は答えた。しかし、彼女はあまりしゃべらず、おれの話題がつきると、彼女は持っている本を読みはじめた。どんな仕事をしているのかという立ち入った質問など、しにくいムードだった。おれはあきらめた。

仕事をすませ、出張から帰る。

おれは頭に手を当てて考えた。そのうち、おれは事故にあうだろう。あうにちがいないのだ。ぼんやりと道を歩いていると、曲りかどから自動車が不意にあらわれ、おれは道路に倒れる。しかし、死ぬことはないのだ。一週間ほどの入院ですむ。仕事は休めるし、車の主は誠意のある人で、見舞いの金をくれるはずだ。それに、病院では美人の看護婦がつきそってくれることになるのだ。悪くないことではないか。

その次の日の、会社へ出勤の途中だった。おれが眠りたりない気分で歩いていると、道のかどから急に自動車があらわれた。予想していたこととはいえ、やはり驚く。急停車してはくれたが、まにあわず、ぶつかっておれは道路に倒れた。腕と足とをくじいた。痛みはかなりひどい。

自動車から運転していた人がおりてきた。その人は心からあやまってくれ、なにもかも考えていた通りに進展した。

病院のおれの受け持ちに、とてもきれいな看護婦がいた。声もよく、言葉つきもやさしい。まったく、すばらしい女なのだ。

おれは一目で好きになってしまった。彼女には恋人がいて、おれがわり込もうとしても、うまくいきっこないのだ。それがわかっているのだが、燃えあがった心はどうしようもない。恋とは、そういうものなのだ。彼女に脈をはかられる時、それがいやに早くなり、彼女はふしぎがった。

くどかずにはいられなかった。しかし、そのたびに、それは適当にはぐらかされた。彼女は、あたしには好きな人がいるのと言った。おれは一週間でなおってしまうのだし、彼女の心をつかむのは、時間的にも無理なのだ。もっと重傷だったらよかったのに。

退院の時、おれは言った。

「これからも会ってくれませんか」

「仕事が忙しいから、だめだわ」

「じゃあ、休みの日にでも」

「お休みの日には、することがあるの」

恋人と会うという意味なのだ。おれは退院してから、何回か病院に会いに行った。最初は会ってくれた。入院中に世話になったお礼の品を持っていったのだ。しかし、つぎからは、いま手術中とか、忙しいとかで、会えなかった。彼女のほうに会う気がないからだ。会ってくれないことがわかってはいるのだが、おれは行かずにいられなかった。これが恋というものなのだ。

ひと月ほど、おれは仕事がおろそかになった。目をとじると、彼女の顔がうかび、胸がきゅっとなる。しかし、むこうは会ってくれなかった。あきらめなければならないことを知らされた。

失恋とは苦しいものだ。気分がなんとかもとへ戻るまで、あと二か月ほどかかるはずだ。彼女のことは忘れるよう努力しよう。

おれは会社の帰りに時どき、同僚とバーへ寄った。酔ってさわぐことにより、陽気になるようつとめた。また、会社のバレーボール部に入って、運動して汗を流した。もっとも、部とは称するが、社内のリクリエーションの集りなのだ。ボールにとりくんでいる時は、いやなことも心から消える。

そのおかげで、二か月ほどたつと、おれの失恋の痛手は、かなりおさまった。

そのうち、バレーボールの部員たちで旅行しようと、だれかが言い出すはずだ。ひと月ほど先のことだろう。おれはそれに参加することになる。

ひと月がすぎ、ある日、だれかが言った。

「いい気候になったから、みなで旅行でもしないかい」

「いいね」

とおれが言い、ほかにも賛成する者が多かった。

「山へ行こうか、海岸にしようか、それとも温泉地へ行こうか」

おれはべつに発言しなかった。山へ行くことになるにきまっているからだ。あんのじょう、山にきまった。部員の全部が行ったほうがいいのだが、つごうの悪い者も出て、男と女、五人ずつ、合計十人ということになった。

連休を利用し、おれたちは高原にあるホテルへ行った。着いた翌日、いい天気だった。朝からおれたちは、あたりの山を歩いてまわった。みな楽しい気分になり、親しみが高まった。

そのなかに、正子という女もまざっていた。感じのいい子で、おれもきらいではなかった。明るい性格で、おれが冗談を言うと、声をあげて笑ってくれた。こういうところへ来たという解放感のせいもあったろう。

ホテルへ戻り、夕食となった。おれはビールを飲んだ。食事のあと、ロビーでしばらく雑談をした。みなは疲れて早く眠りたいと言う。

「ぼくはもっと飲むよ」

とおれが言うと、正子も言った。

「あたしも飲みたいわ。ここのホテルのバー、どんなムードなのか、ちょっとのぞいてみたいの」

おれたち二人はバーに行って飲んだ。上品な音楽が流れていた。何杯か飲んだあと、おれは正子に言ってみた。

「ちょっと、そとを散歩してみましょう。きっと、星がきれいですよ」

さそうと、正子はついてきた。静かな夜で、星がたくさん輝いていた。空気もきよらかで、深呼吸したくなる。あたりにはだれもいない。おれはふざけたふりをし、正子の手をにぎった。正子はいやがらなかった。ロマンチックな感情がこみあげてきた。

おれは正子を木のかげに引っぱってゆき、力をこめて抱きしめ、口づけを……。いかん、おれは大事なことを忘れていた。それをやると、これがきっかけとなり、ずるずると別れられない状態におちいるのだ。そして、結婚しなければならないはめになり、会社の常務が仲人《なこうど》になり、式をあげてしまう。

そして、しばらくはいいんだが、しだいに正子は本性を発揮しはじめ、ずぼらになる。もともと、そういう性格なのだ。そのうち、男の子がうまれる。はじめての子供だから、ある期間は面白いが、やがて、なんということもない日常になる。正子の関心は、おれより子供のほうにいってしまう。

正子は近所の女たちと、しょっちゅうおしゃべりをし、たあいなく大笑いする。その笑いが、おれにはがまんできなくなる。いや、なんとかがまんしようとするのだが、それが精神的によくない。おれは軽いノイローゼになり、病院へ行って医者にみてもらうことに……。

そうなっては、ことなのだ。

おれは正子の手をはなし、ひとりで少しはなれたところへ行き、立小便をした。暗くてよくわからないが、正子はあきれたような表情になったにちがいない。おれをおいて、先にホテルへ戻っていってしまった。

これでいいのだ。

旅行から帰る。おれと正子とは、会えばあいさつをかわす程度の仲にとどまった。

それから半月ばかりたったある日、伯父《おじ》がおれに見合いをしないかと言ってきた。伯父がおれのことを、そんなにまで気にかけていてくれたとは知らなかった。おれはその女に会ってみようと思った。

文子という名の、知的な感じのする女だった。こういう女が、おれにはむいているのかもしれない。三日ほどし、会社の帰りに伯父の家に寄ると、すぐに聞かれた。

「どうだ、感想は」

「いい人ですね。むこうがよろしければ、結婚を前提にして、つきあってみたいと思います」

「それはけっこうだ」

おれは文子と交際しはじめた。やがて準備が進められ、伯父の知りあいの人が仲人になり、式をあげる。

おれは声を聞く。

「はい、いいですか。わたしがあなたの肩をたたく。すると、あなたは現在に戻って、目がさめます。いままでのことはすべて忘れて、すがすがしい気分で目がさめます」

つづいて「さあ」という声とともに、肩をたたかれた。おれは目をさました。そばには医者がいて、こう言っている。

「いかがでしょう。いいご気分のはずですが」

おれもそんな気がした。

「ええ、すっきりしたような感じです」

「それはよかった。わたしのやったことが、役に立ったというわけです」

「ありがとうございます」

おれは病院を出て、帰宅した。午後の九時ごろだった。文子がおれに言った。

「どこへ行ってきたの。いやに楽しそうな、さっぱりした顔をして……」

「病院だ」

「うそでしょう」

「うたぐり深いやつだな。うそだと思うのなら、番号を教えるから、医者に電話をかけて聞いてみろ」

文子は本当にそれをやった。それでなっとくするのかといえば、そうでもない。しめしあわせてのことだろうと、まだ疑っている。そういう性格の女なのだ。

せっかくいい気分で帰ってきたというのに、なんということだ。

もっとも、結婚してしばらくのあいだは、おれたちも楽しくやっていた。しかし、こう三年目にもなると、彼女のせんさく好きが鼻についてくる。

毎日が、取調べにあっているようなものだ。いったい、おれはこんな議論好きな女と、なぜいっしょになってしまったのだろう。子供でもいれば、まあ、なんとかなるのだろうが、三年もたつのにいっこうにできない。

いらいらする気分の日がつづく。このままだと、頭がおかしくなってしまう。いや、すでにおかしくなりかけているのかもしれない。おれは病院に出かけることにした。

医者はおれに事情をたずね、おれは毎日がどんなにいやかを説明した。医者はおれにやわらかい長椅子の上に横たわるよう命じ、暗示をかけはじめた。

「あなたは眠くなります。まぶたがしぜんに閉じてゆく。こころよい眠りに入ります……」

おれはそんな気分になった。

「……あなたは、わたしの声のいうがままになる……」

医者の声がつづく。

「……あなたは、しだいに若くなってゆく。一年、二年、三年。まだ独身だったころに戻ります。さあ、戻りました……」

伯父がおれのところへやってきて、見合いをすすめた。おそらく、知的な感じの女性にちがいない。だいたい見当はついているんだ。おれは会ってみた。文子という名だった。

三日ほどし、会社の帰りに伯父の家に寄ると、すぐに聞かれた。

「どうだ、感想は」

「いい人ですね。むこうがよろしければ、結婚を前提にしてつきあってみたいと思います」

「それはけっこうだ」

おれは文子と交際をはじめた。おれは文子がフランス料理を好きだろうと思ったら、はたしてそうだった。ダンスにさそえばついて来るだろうと思ったら、やはりそうだった。

そのうち、伯父がおれのところへやってきて、さいそくした。

「いいかげんに結論を出してくれ。結婚するつもりなんだろうな」

その時、出かかった言葉を、おれは押さえた。いまが大事な場合だ。ここでうなずくと、結婚するはめになる。そして、やがてその議論好きにうんざりすることになる。子供はできず、おれは頭がおかしくなりかけ……。

おれは伯父にことわった。

「せっかくのお話ですが、どうも気が進みませんので」

「そうか。残念だが、こればかりは無理に押しつけるわけにもいかないしな」

伯父もそれ以上はすすめなかった。

その一週間ほどあとだった。学生時代に同級生だった女と、おれはたまたま道であった。桂子という名で、なかなかの美人。おれは言った。

「久しぶりだね。ひまだったら、お茶でも飲もうか」

「ええ」

ずっと会わなかったので、おたがい、そのごのことを話しあった。桂子は通訳の仕事をしており、まだ独身だと言った。

「あなたは……」

と聞かれ、おれもまだ独身だと答えた。いっしょに酒を飲みにいこうとさそうと、ついてきた。飲みながら、学生時代のことを話しあい、回想した。そのころ、桂子は目立つほどの美人で、みなにちやほやされていた。それは今でも変らず、美しかった。

それがいまだに独身とは……。

そんなことがきっかけで、おれたちは時どき会うようになり、結婚した。学校の時の先生が仲人をしてくれた。


おれは声を聞いた。

「はい、いいですか。わたしがあなたの肩をたたく。すると、あなたは現在に戻って、いままでのことは忘れ、すがすがしい気分で目がさめます」

つづいて「さあ」という声とともに、肩をたたかれた。おれは目をさました。

おれが帰宅すると、桂子が酔って、しどけない姿でねそべっている。すがすがしい気分が、たちまち消えてしまった。

桂子と結婚し、しばらくは楽しかった。なにしろ美人なのだ。桂子はあたしも働くわと言い、通訳の仕事をつづけた。そのほうが世帯じみなくていいだろうと、おれも賛成した。

なにもかも順調だった。おれが、あるうわさを耳にするまでは。

桂子が浮気をしているというのだ。おれは会社へ出勤するふりをし、仕事を休み、桂子のあとをつけた。そして、そのうわさが事実であったことをつきとめた。

おれが文句を言うと、桂子はとんちんかんな弁解をした。その男だけでなく、ほかに何人もの男と関係のあったことがわかってしまった。

おれはうんざりし、生きているのがいやになった。桂子は毎晩のように酒を飲んだ。それまで気づかなかったが、アル中らしかった。まったく、おれはひとがいい。美人と結婚したといい気になっていたが、その女は男と酒の中毒で、その二つに関しては自制心を失っているのだ。

いくら文句を言っても、あらたまらない。金を渡さないようにしても、桂子は通訳をやってかせいでしまうのだ。おれは不愉快でならなかった。別れるには惜しい女。といって、事態はよくなりそうにない。このままだと、いつかっとなって、桂子を殺してしまうかわからない。これは危険な衝動だ。

おれは医者に出かけた。事情を話す。

おれに対し、医者はいろいろなテストをし、首をかしげて言う。

「あなたは性格的に、どうも結婚にむいていないようです」

「しかし、現に結婚してしまっているのです。桂子と別れたとしても、だれかと結婚しないわけにはいかないでしょう。なんとかして下さいよ」

医者はおれに長椅子に横たわるよう言い、暗示をかけはじめた。

「あなたは眠くなります。まぶたがとじてゆく。こころよい眠りに入ります……」

おれは暗示にかかりやすいようだ。たちまち眠くなった。医者の声はつづく。

「……あなたは、しだいに若くなってゆく。まだ独身だったころに戻る……」

おれは会社のバレーボール部の旅行で、みなと山のホテルへ来ている。正子という女と気が合った。いっしょに酒を飲み、夜の散歩をし、木かげで抱きしめ……。

おれは、こんなことをするのはよくない結果になるんじゃないかとも考えた。そうなるにきまっている。しかし、だからどうだというのだ。世の中すべて、いいことばかりとは限らない。生きているからには、よからぬことがつきものなのだ。

おれは声を聞いた。

「はい、いいですか。わたしがあなたの肩をたたく。あなたは現在に戻って、目がさめます。いままでのことはすべて忘れ、すがすがしい気分で。そうそう、あなたは人生に自信を持つようになる。いやなことを克服しようとし、それができるようになるのです……」

おれは肩をたたかれ、目をさました。なんだか、これからはうまくゆくような気分になった。医者にお礼を言い、帰宅した。

正子が子供をあやしながら、遊びに来ていた近所の女と、くだらぬことを話しあい、大笑いしている。

「あら、お帰りなさい」

おれを見てそれだけ言い、またむだ話に熱中する。なんという女だ。しかし、おれは腹を立てない。

「急な出張を命じられた。これから出かけるからな」

そう言って、おれは家を出た。そして、バーへ行く。その店には、このあいだから好きになりかけている女の子がいるのだ。くどきたいけれど、おれには無理じゃないかと思っていた。しかし、きょうはちがう。おれは酒を飲み、相手にも飲ませながら、くどきはじめた。なんだかしらないが、うまく発展するだろうという自信があるのだ。

もてなし

その青年は、バーでひとりで飲んでいた。それなりの理由があった。ひるま、つとめ先の会社で失敗をやり、上役におこられたのだ。気分なおしに飲みたくもなるというものだ。

しかし、彼の場合、問題はいささか深刻だった。仕事で失敗をやり、おこられ、気ばらしに酒を飲むということが、ほぼ毎日といっていいほどだったのだ。したがって、金に余裕がなかった。ほうぼうのバーに借金がたまっている。

金まわりがよくないため、女性にもてることもなかった。もっとも、金があったところで、もてるかどうか疑わしい。彼は美男子でもなく、知的でもなく、男らしくもなく、誠実でもなかった。つまり、ぱっとしない、とりえのない人間だったのだ。

そのバーには同じカウンターに、もうひとり男の客がいた。景気よく飲んでいる。時どき首をかしげたりするが、高級な洋酒のグラスを重ねている。やがて、話し相手が欲しくなったのか、青年に声をかけた。

「あなた、なにか元気がないようですね」

「ええ」

「しっかりなさいよ、若いくせに。わたしがおごります。どんどん飲んで下さい」

「しかし……」

「遠慮はいりません。どうぞ。面白くないことがおありなら、ぶちまけたらどうです。さっぱりするかもしれません」

「ええ……」

すすめられるまま、青年は酒を飲み、ぐちをこぼした。いかに自分がだめな人間か、そのため、楽しいことにちっともめぐりあえないでいることなどを。

「そうでしたか。お気の毒なことです。そんな思いで酒を飲んでいるのでは、あまりいい酔いごこちじゃないでしょうな」

「そうなんです。といって、飲まずにはいられないし、飲むと借金がふえる。悩みは大きくなる一方です」

「そんなことから解放され、心おきなく、ぱっと遊びまわりたいでしょうな」

「もちろんですよ。そうしたいなあと、夢にまで見るほど願いつづけです。しかし、無理な話だ。ぼくにはできっこありません」

「いや、かならずしも、そうではありませんよ」

男は思いがけぬことを口にした。青年は目を輝かした。

「なにか方法があるような口ぶりですね」

「ええ」

「しかし、だめです。犯罪にからんだことでしょう。それをやる度胸もないのです」

「いやいや、そんなことではありません」

「いったい、どんなことです。ぼくにできるたぐいのものですか」

「ええ、そうです。あなた、ブルギさんになってみませんか」

「なんですって。そりゃあ、面白く遊びまわれれば、どんなにいいかわからない。しかし、容易じゃなさそうですね。他人になりすますなんて」

「いや、ブルギさんというのは、人名ではないようなのです。どうやら、肩書きといったほうが適当らしいのです。正確なことは、わたしにもよくわかりませんが」

「その、ブルギさんとかいうのになれば、景気よく飲めるってわけなんですか」

「そうなのです。理由や事情は不明ですが、いいことずくめであることは、まちがいない。酒にありつけないなんてことはない。しかし、わたしは、わけがわからないということを好きでないし、それにもあきたというわけです」

「わけがわからなくたって、いいじゃありませんか。ああ、そんなふうになってみたい。なりたいなあ」

青年はあこがれの感情をこめてつぶやいた。それに対して男は言った。

「じゃあ、ならせてあげましょうか。しかし、いざとなると、どうも、なんとなく惜しいような気も……」

と男は服の胸につけてあるバッジをはずしたが、また、もとにつけようかなと思案した。それを見て、青年は事態を好転させようと思って言った。

「じらさないで、いいかげんで思い切ったらいかがです」

「そうですね。わたしも考えた上で口にしたことです。これをさしあげます。胸につけて下さい。これで、あなたはブルギさんです」

そのバッジを受け取り、青年は胸につけた。

「これでいいわけですね。いったい、どういうことなのです。なにか引きつぎ事項はないんですか」

「なにもありません。そもそもブルギさんとはなんなのか、わたしもずいぶん知ろうと努力もし、そのために時間もかけました。しかし、いまだにわからない。わたしの性格として、不可解なことは不愉快なのです。いかに有利でもね。だから、やめる気になったのですよ」

「そういうものですかねえ。いずれにせよ、ありがとうございます。お話が本当かどうかはわかりませんが、お酒をおごって下さった上に、バッジをいただいたのです。お礼を申しあげます」

そう言って別れ、青年はバーを出た。歩いて駅にむかう。そこから電車に乗り、さらにバスを利用すれば彼の住居であるアパートへ帰れる。

駅のホームに立つと、みしらぬ男から声をかけられた。

「失礼ですが、あなた、ブルギさんじゃありませんか」

「ええ、まあ……」

「もうお帰りなんですか。まだ、時間はおありなんでしょう」

「ええ、ないことはありませんが」

「いかがでしょう。そのへんで一杯おごらせていただけませんか。もっと何杯も飲んでいただければ、それに越したことはないんですけど、お時間がなければ、せめて一杯でもけっこうですから」

「しかし、いいんですか」

青年は心配になった。なにしろ、こっちはまるで金を持っていないのだ。しかし、相手はにこやかに言った。

「たまたま、まとまった金が入ったんです。こんな時にブルギさんとめぐりあえるなんて、わたしも運がいい。ぜひ、おごらせて下さい」

「じゃあ、お言葉に甘えますか」

酒にありつけるのはありがたいことだ。さそわれるままに青年はふたたび駅を出て、その男の案内するバーに入った。相手は気前よく酒をすすめた。

「どうぞ、お好きなだけお飲み下さい」

「いいんですか」

「もちろんですよ。ブルギさんのためですもの」

「どうして、ぼくがブルギだとわかったのですか」

「胸のそれでですよ」

「そうでしたね。では、ごちそうになります」

「そうこなくてはいけません」

相手はきげんがよかった。青年は酒を飲みながら、聞かずにはいられなかった。

「変なことをうかがいますが、なぜ、ブルギさんだとおごっていただけるのです」

「そんなこと、おっしゃっちゃあいけませんよ。ブルギさんは、そんな質問をなさらないものです。お飲みになり、お楽しみになればいいのです。さあもっと、どうぞ」

「もう、たくさんです」

「ご満足いただけましたでしょうか。なにかお気に召さない点でも……」

「とんでもない。いい気分でひとときをすごせました。どうもありがとう」

「それはよかった。わたしもうれしくてなりません。では、ごきげんよう……」

キツネにつままれたような気分で、青年は帰宅した。いったい、これはどういうことなのだろう。

つぎの日の朝、青年は会社へ出勤しようと、バスの停留場に立っていた。すると、一台の車がとまり、運転席の男が声をかけてきた。

「こんなことをお聞きしてはなんですが、あなた、もしかしたらブルギさんでは……」

「ええ、まあ……」

「よかった。通りがかりに胸のバッジが目に入りました。そうじゃないかと、たしかめに車を戻らせてきたのです」

「そうでしたか」

とうなずくと、車の男は言った。

「どうぞ、お乗り下さい。バスが来ますから、早いとこ、どうぞ。で、どちらでしょう、お行きになりたいところは」

「会社ですよ……」

青年は車に乗りこみながら、会社の所在地を告げた。車は走り出す。運転席の男が言う。

「わたしは注意ぶかいたちで、無事故です。その点、ご安心下さい」

「そうですか。おかげで助かります。あなたの行先は、ぼくの会社と同じ方角なのですか」

「ぜんぜんちがいますが、ブルギさんのためなら、そんなこと、どうでもいいのです」

というわけで、青年はこんだ電車に乗ることなく、会社へ行くことができた。おりる時に、お礼を言う。

「どうもありがとう。あなたは親切なかたですね」

「いや、お礼はこっちのほうで言うべきです。ブルギさんに喜んでいただけて、こんなうれしいことはありません。では……」

車は走り去っていった。その日、青年は会社で考えつづけだった。しかしどうにも説明のつけようがなかった。そのため気が散り、また失敗をし、上役におこられた。

会社の帰り、青年は酒を飲みたいなと思って歩いていた。しかし、その金はないのだ。つけで飲ませてくれる店もない。その時、前から歩いてきた男に声をかけられた。

「あ、ブルギさん……」

「なにかご用ですか」

「まだでしたら、お食事をおごらせていただけませんか」

「ありがたいお話ですね」

「では、どうぞ、どうぞ」

相手は青年を引っぱるようにして、近くのレストランに連れこんだ。豪華な料理が出てくる。酒もついていた。

そのあと、バーに案内された。相手は酒をすすめながら言う。

「最後までおつきあいしたいんですが、あいにくと、もう少しして人に会う約束があるのです。申しわけございません。ここの勘定はわたしのつけにいたしますから、そのあとも、お好きなだけお飲みになって下さい。それでよろしゅうございましょうか」

「なにからなにまで、ありがとう」

「喜んでいただけて、こんなうれしいことはありません。やっとブルギさんにめぐりあえたのですから……」

そのうち、その男は店から出ていった。ひとり残った青年に、そのバーの女が話しかけてきた。

「ねえ、ブルギさん。ここでもっとお飲みになる。それとも、どこか静かなホテルのバーへでも行く……」

いやに親しげな口調だった。

「きみとは前に会ったことがあったっけ」

「はじめてよ。だけど、あなたはブルギさんなんですもの。ねえ、そうしましょうよ」

「あしたは休日だし、悪くないけど、じつはお金がないんだ」

「あら、ブルギさんがそんなことおっしゃっちゃ、おかしいわ。お金なら、あたしが持ってるわ」

女は青年をうながして店を出た。そして、ホテルのバーへ行った。飲んでいるあいだに、女は部屋をとり、二人はそこで一夜をともにした。こんなことは、彼にとってまったく久しぶりのことだった。青年は感激し、満足した。

翌朝、彼は女に言った。

「悪いな、こんなことになってしまって。お礼になにかあげたいが、なにもない。このバッジぐらいしか……」

青年はそれを与えてもいい気になり、はずしかけた。しかし、女はそれをとめた。

「だめよ。そんなもの、いただくわけにはいかないわ。ブルギさんに喜んでいただいただけで、あたし、うれしいのよ」

「そうかい。しかし、そのブルギって、なんのことなんだい」

「そんなこと、考えちゃだめよ、もっと陽気にふるまわなくっちゃ、ブルギさんらしくないわ。そして、ありがとうって言えばいいんじゃないの」

「そうだったね。ありがとう」

女と別れ、青年は帰宅する。

「もっと注意したほうがいいようだな。あの女はふしぎがっていた。ブルギさんになりすましていることがばれたら、楽しめなくなってしまうのかもしれない。しかし、それにしても、このバッジの威力はすごいな」

そうつぶやき、あらためて調べてみる。高価な金属でできているのか、よく輝いている。花の形をしていて、気のせいか神秘的な感じもする。裏面を見ると、89という数字が彫られてあった。なにを意味しているのだろう。こういう特権階級に属する者が、少なくとも八十九人はいるということなのだろうか。それ以上のことは、まるでわからなかった。しかし、現実にこのバッジは力を示してくれるのだった。

青年は会社から出張を命じられた。うまく注文をとれるかどうか、彼にはあまり自信がなかった。しかし、出かけてみると予想もしなかったことがおこった。相手が大歓迎してくれたのだ。

「これはこれは、ブルギさんにおいでいただけたとは。で、なにがお望みなのでしょうか。ご遠慮なくおっしゃって下さい」

「じつは、少しでけっこうですから、注文がいただけたら……」

「少しだなんておっしゃらず、ご希望なだけ注文いたしますよ」

「でも、そんなにいらないんでしょう」

「そんなこと、関係ありません。ブルギさんのためでしたら、利益なんかどうでもいいのです」

「ありがとう。では、お言葉に甘えて……」

商談は簡単にまとまった。会社に帰ると、上役はふしぎがりながらも、青年をほめた。これもまったく久しぶりのことだった。

青年は毎晩のように酒にありつけた。だれかがおごってくれるのだ。ある日、酔って帰宅する途中、彼は暗がりで男につかまった。そいつは言う。

「やい、大声を出さずに、おとなしく金を出せ。いやに景気がよさそうじゃないか」

「ぼくはブルギなんですよ」

「ブルギだかなんだかしらないが、おれは金さえもらえばいいんだ。痛い目に会いたくなかったら、財布をこっちに渡すんだな」

そいつは刃物をちらつかせた。

「わ、わかりました。どうぞ、お気のすむよう、ポケットをお調べ下さい。腕時計をおとりになってもけっこうですよ。どうか、命だけは……」

殺されては、なにもかも終りだ。

「そうこなくちゃいかん」

相手は近よってきた。仕方ない。欲しいものを渡してやろう。しかし、このバッジだけは気づかないでくれるとありがたいのだが。そんなふうに青年が考えている時、思いがけぬことがおこった。

だれかがそいつに飛びかかり、投げとばしてくれたのだ。そのうえ、さんざんなぐりつけ、気を失わせた。青年はほっとし、その人にお礼を言った。

「ありがとう。おかげでなにも取られなくてすみました。あなた、お強いんですね。おみうけしたところ、ご年配のかたですね。そいつ、刃物を持っていましたよ。けがでもなさったら、大変だったでしょうに」

「柔道の心得がありましてね。それに、自分のことなど、考えませんでしたよ。ブルギさんのためということだけが頭にあって、もう夢中で……」

「そうでしたか」

「じつは、さっき、あなたがブルギさんだと知ったのです。しかし、困ったことに、金の持ちあわせがなかった。それに、こんなおそい時間。おもてなしができない。といって、あきらめることもできない。運よくブルギさんにお会いできたのですからね。そこで、あとをつけてきたというわけです。お役に立つことができて、ほんとによかった」

青年はいたるところで、いい目にあった。たとえば、通勤の電車のなか。こう声をかけてくる中年の女もあった。

「ブルギさんですのね。なにも、こんなこんだ電車にお乗りになることなど、ないでしょうに」

「仕方ないでしょう。金がないんですから。それに、電車に乗ったほうが、いろいろな見聞に接することができるし」

「それもそうですわね。あたしがお会いできたのも、そのおかげともいえますわ。だけど、お帰りにはタクシーをお使い下さい。こんなところでなんですけど、その料金のたしにでも……」

いくらかの金が渡された。その婦人の持ちあわせの金の大部分らしかった。

「じゃあ、ご好意に甘えて。ありがとう」

青年は受け取った。だんだん、なれてもきた。おれはブルギなんだ。こういうのを受け取ることが、相手を喜ばすことになるらしい。悪くないことじゃないか。わけはいまだにわからないが。

「おや、ブルギさんじゃありませんか。わたしは海外旅行をする予定だったのですが、用事ができて中止することになってしまった。切符の払い戻しに行くところだったのですが、こんなところでお会いできたのも、なにかの縁でしょう。かわりに使っていただけないでしょうか」

などと話しかけてきた人もあった。これはいい機会だ。青年はそれをもらうことに

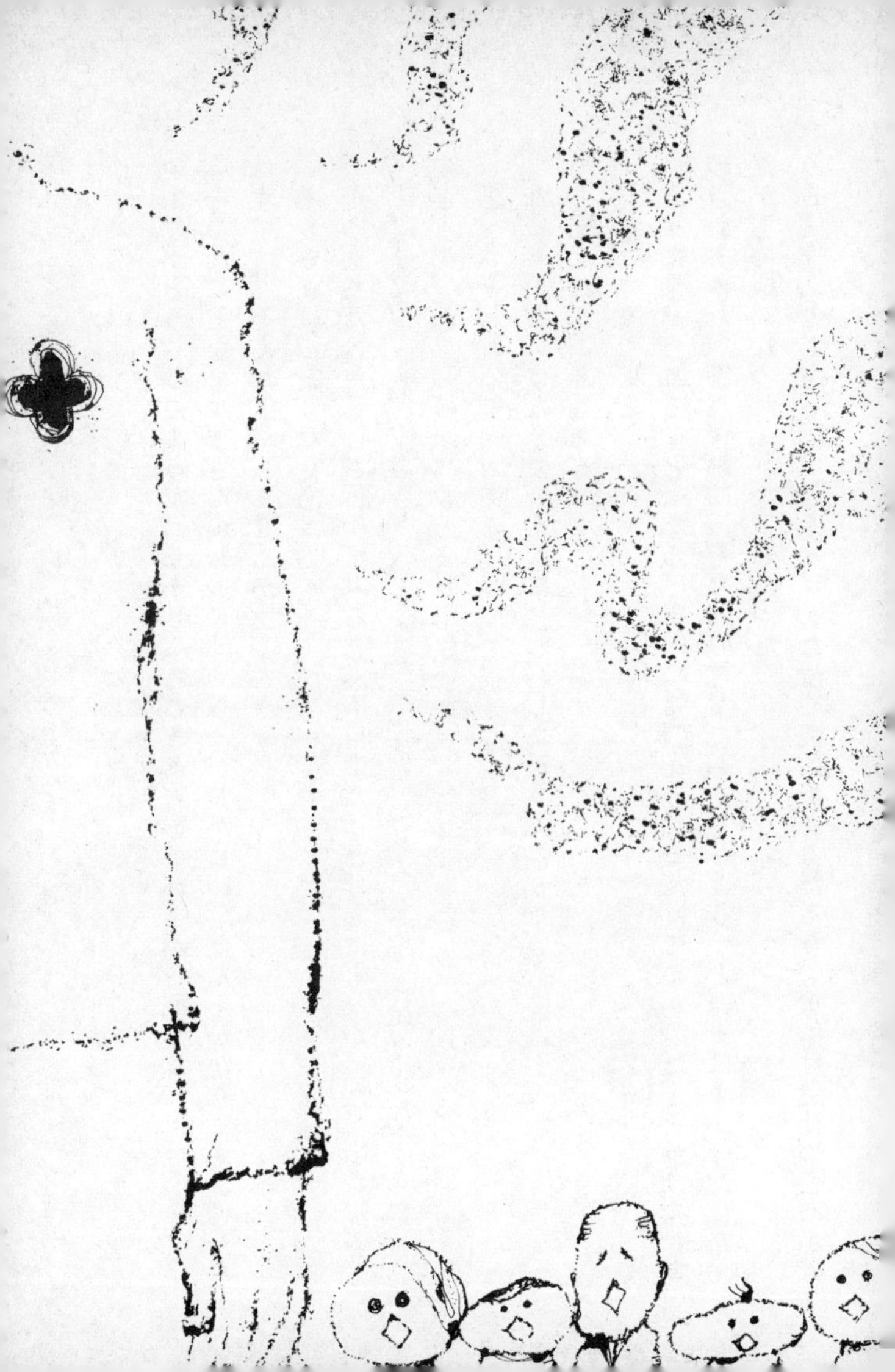

した。

「ありがとう。夢のようだ。しかし、むこうへ着いてからが心配だな」

「そんなことをブルギさんがおっしゃっちゃ、おかしい。なんとかなりますよ。なるはずです。そんな気がしませんか」

「そういえば、そうだなあ」

その通りだった。いざ行ってみると、不自由なことはなにもなかった。街を歩くと

「ブルギさんですね」と話しかけてくる人があらわれるのだ。青年はうなずく。

「どうぞ、わたしの家へおとまり下さい」

と、さそわれることもある。

「なにかお買いになりたいものは。お召しあがりになりたいものは……」

と聞かれることもある。

「見物なさりたいところは」

と車に乗せられることもある。青年は希望をのべるだけでよかった。それはみな実現されるのだ。別れぎわに、その国の言葉で「ありがとう」と言えばよかった。なんだか生神様になったような気分だった。

ひとまわりして帰国。どうせ、また行く機会があるだろう。青年は会社づとめがば

かばかしくなり、やめてしまった。

家を出て、人の多くいそうなところを歩いていればいいのだ。

「ブルギさんですね」

と話しかけてくる人があらわれる。そして、なにかしら楽しいことが味わえるのだ。まったく、こういう権利をほっておくことはない。相手は迷惑がるどころか、こっちに感謝までしてくれるのだ。

青年がブルギさんになってから、二か月ほどがたった。道で声をかけられる。

「ブルギさんですね」

「ああ」

「よかった。さがしていたところでした。どうぞ、この車にお乗り下さい」

「ああ……」

青年はすっかりなれていた。やがて車は、夜の郊外へ出る。彼は聞いた。

「……きょうは、どんな趣向なんです」

「そんな程度のことではありません。もっと重大なことです」

「楽しみだな」

車はとまり、青年は徒歩で小高い山の上に案内された。そこには祭壇のようなものが作られていて、何人かの人物が祈っていた。いっしょに来た男に聞いてみる。

「なにをしているんです、あの人たち……」

「ブルギさんのために祈っているんですよ」

「すまないね、ありがとう」

「いま、世界中のわれわれ信者たちが、同じように祈っているのですよ」

「そうかい、ありがとう」

「では、儀式に移らせていただきます。これをお飲み下さい」

さし出されたものは、甘ったるい味がした。やがて、いい気分になる。

「なんだか、からだが浮くようだ」

「そうでしょう。ちょうど、満月が真上にのぼっています。あなたを、あそこへおとどけするのです」

「それは、どういうことなんだい」

「つまり、あなたの心臓を切り取り、月の精霊に犠牲としてささげるのです。太陽にいけにえをささげる宗教は、大昔からあった。太陽こそ、すべての源泉ですからね。昼間だけ働いていた大昔は、それだけでよかったでしょう。しかし、人間は夜も活動するようになった。だから、月に対してもそれをすべきではないか。そのような考え方から、この宗教ができたのです。いまから八十九年前、すなわち、あなたは八十九番目の犠牲というわけです」

「正気のさたじゃない」

「そう思う人もいるでしょう。どの宗教でもそうでしょう。しかし、われわれは信じているのです。信じただけのことはあるのです。だから、ずっとつづいてきたわけですし、信者もふえたというわけですよ。あなたからありがとうと言われた者には、すばらしい幸福がもたらされる。そうなのです。だからいま、信者たちが祈っているのですよ。ある人はブルギさんをもてなすことができたことを感謝し、ある人は近いうちにブルギさんにめぐりあえるようにと……」

「むちゃくちゃな話だ。助けてくれ」

大声をあげたが、はっきりした声にはならなかった。もはやのがれられない事態のようだった。薬がきいてきたのか、うきうきするような感じもする。

「お気の毒とは思いますよ。しかし、ささげものは必要なのです。だれかに犠牲になっていただかなくてはならない。ですから、思い残すことがないよう、普通の人が一生に味わう以上に、充分に楽しませてさしあげたはずです」

「それは、たしかに楽しみはしたが」

「でしょう。一年間にわたってですもの」

「なんだって……」

まだ二か月だと言おうとしたが、それはもう声にならなかった。薬のききめは青年を完全に支配し、彼を犠牲そのものに変えてしまっていた。

ある種の刺激

北のほうの小さな地方都市にある支店。支店長は三十歳のまだ独身の青年だった。大学の成績もよかったし、入社試験の時も上位だったし、仕事ぶりもよかった。だから、若くしてこのような地位につけたのだ。もっとも、部下は十名ほど。

その会社は、全国にこのような支店をいくつもおいている大企業だった。商品の流通が主な仕事だが、工場もいくつか持ち、何種類かの製品を作っている。創立は古く、業績も悪くなかった。

ある日の昼ごろ、本社から電話があった。社長からだった。はじめてのことなので、支店長の青年は緊張して答えた。

「はい、なんでございましょう」

「いまから四時間後に、そこへ行く」

「ご用でしたら、わたくしが上京いたしますが」

「いや、そうもいかんのだ。小型機を契約し、そこのそばの空港へ直行する」

「はい。お待ちしております」

電話が終り、青年は首をかしげた。なんのために社長が来るのだろう。この地方での営業活動は、まあまあだ。とくに問題となっている件もない。しかし、社長じきじきの電話で、これから来るというのだ。青年は部下たちを集めて言った。

「本社から連絡があった。まもなく社長がここへみえる。失態をさらさぬよう、注意してもらいたい。わたしは空港へむかえに行く」

部下たちも緊張した。彼らをあとに青年は車を走らせた。やがて小型機がつき、なかから社長がおりてきた。七十歳ぐらいで、ふとってはいないが、さすがに大企業の経営者だけあって、貫録がある。

「よくおいで下さいました。秘書もお連れにならず、おひとりでですか」

「ああ」

「なにか緊急のご用なのですか」

「ああ」

「宿泊の手配をいたします」

「それはいらない。すんだら、あの飛行機ですぐ帰るつもりだ。だから、支店の者たちに、きょうは残業をしてもらわなければならない。もちろん、そのための特別手当は出す。やってくれるかな」

「わたくしが指示すれば、みな、どんなことでもやります。日ごろから、社のためには全力をつくせと機会あるたびに話してあります」

「それはありがたい」

　そんな会話がかわされるうちに、車は支店についた。青年は社長を応接室に案内する。この支店は、あるビルの一階を借りており、応接室と事務室、それに地下室の倉庫。それがこの支店のすべてだった。メモを片手に、青年は社長に聞いた。

「ご命令をどうぞ」

「この地下は倉庫だったたな」

「はい。商品がつまっております」

「その天井と壁の面積の合計をはかってくれ。そして、それをぬるのに必要なペンキの量を計算してくれ。色は赤だ。はけ、はしごなども買え」

「つまり、天井と壁とを赤くぬるのですね」

「そうだ。また、コンクリートを砕く道具もいる。床に小さな穴をあけるのだ。細くて長い鉄の棒も用意してくれ。ネズミ花火が五十ほどいる。そうだ。ビールを三ダース、料理もここの人数だけ注文してくれ。わかったか」
「わかりましたが、なぜ……」

「理由は聞くな。説明しているひまはない。これは社の方針なのだ」

「はい、すぐにとりかかります」

支店の者たちは、とまどいながらも、全員で力をあわせ、それをやった。なにしろ社長の命令なのだ。すなわち、地下の倉庫の天井と壁が赤くぬられ、床にはコンクリートを砕いて穴があけられた。青年は社長に聞く。

「この鉄の棒はどうするのですか」

「その床の穴へさしこみ、ハンマーで打ちこんでくれ……」

それがなされた。社長はうなずいて言う。

「……うまく入ったな。では、その棒を引き抜いてくれ。そして、保存、いや、もう使うこともあるまい。買ったところへ持っていって、安く引きとってもらえ」

「ネズミ花火はどうしましょう」

「みなで手わけして、つぎつぎに火をつけてくれ」

「はい」

それは床の上の各所で回りながら、つぎつぎに倉庫内に爆発音を響かせた。社長は満足そうにそれをながめていた。

「よしごくろうだった。みな、応接室へ集って、大いに飲み、食べてくれ。大いにさわいでくれ。あしたの出社はおくれてもいい。わたしはこれで帰る。見送りはいい。タクシーをひろって空港へ行くから」

そのあと、当然のことだが、だれもが支店長の青年に質問した。

「これは、どういうことなのでしょう」

「つまりだ、社長は倉庫の警備状態を心配したのだ。だから、床のコンクリートの厚さを調べた。地下から侵入されては困るからな。花火はだ、夜間の侵入者の物音に反応する警報ベルが必要ではないかということだ。さっそくとりつけなくてはならない」

「ペンキで赤くぬったのは……」

「ひとつの実験だよ。はなやかなほうが、なにか効果があるのではないかという」

正直のところ、青年にもまるでわからないのだ。そのため説明に苦労する。

「しかし、なぜ、この支店で」

「テストというものは、どこかでしなければならない。たまたま、ここが選ばれたというわけだ。よその支店が選ばれていたら、そこの連中も同じようにふしぎがったろう。ここは小さな支店で、手ごろなのだ。また、緊急命令に対する、社員の反応ぶりの視察もかねていた。社長はきげんよく帰られた。これもみながよく働いてくれたからだ。さあ、乾杯して楽しくさわごう。どうもごくろうさま」

そんな話でみなはなっとくしたが、青年はなにがなんだかわからなかった。とはいうものの、社長がここの支店の存在を頭の片すみで意識していてくれたことは、たしかだ。その点、悪くない感じだ。そんなふうに自分をなっとくさせる以外になかった。

翌日から、一段と仕事に熱を入れた。

しかし、なぜあんなことをやらされたのかの疑問についての好奇心は依然として残り、高まる一方だった。そのうち、なんとしてでも、なぞをつきとめてやる。

数か月後、仕事の連絡のために青年は上京し、本社へ行った。報告や打ち合せの話のあと、営業部長に申し出る。

「社長に会わせて下さい」

「わたしを通じてではいかんのかね」

「あの地方の名産品を持ってきましたので、ちょっとお渡ししたいのです」

「それならいいだろう」

事実、名産品も持ってきたのだ。青年は社長室に入り、あいさつのあと、こう言った。

「先日はおいでいただきまして……」

「ああ、あの北の支店長だな。あの時は、みなよくやってくれたな」

「しかし、なんのために、あんな仕事をしなければならなかったのです」

「理屈もなにもない。ああしなければならなかったのだ。なにしろ緊急事態だったのでな」

「とても、そうは思えません。ペンキぬりとネズミ花火ですよ。教えていただけませんか。地方紙がかぎつけて、記事にしたがっているのです。そうなると、社長の奇行ということで、週刊誌にものるかもしれません」

と青年は、それとなくおどかした。

「それは困るな。なんとか防いでくれ」

「しかし、わたくし自身、わけがわからないことには……」

社長はしばらく考えていたが、やがてうなずいて言った。

「きみは優秀な社員のようだ。話してもいいが、必ず秘密は守ると誓ってくれ」

「もちろん誓いますよ。決して他人には言いません」

青年は本心からの声で言った。社長はそれをたしかめ、話しはじめた。

「きみは、ハリの治療を受けたことがあるかね」

「そういう療法のあることは知っていますが、やったことはありません」

「そうだろうな。まだ若く元気で、どこにも故障はなさそうだしな」

「社長はあるのですか」

「ああ、あるとも。この方面にはくわしいのだ。たとえば、食あたりの時、足のうらの第二指のつけ根のあたりに打つと、すぐにきく。偏頭痛の場合には、足の小指の先から、太目のハリで一滴の血を取るとなおる。わたしは体験してないが、頭のてっぺんにハリとキュウをやると、痔《じ》がふしぎなくらいになおる」

「はじめて聞きました。そんなにきくものですか。いったい、なぜなのです」

「知りたいだろうが、これには理屈もなにもないのだ。さっき言ったようなハリやキュウをやる人体の部分を、ツボと称する。からだには、ツボがいくつもある。あるツボに刺激を与えると、ある症状がおさまる。どう関連しているのかわからないが、これはたしかな事実なのだ。現代医学でも、ツボとはなにか、なぜきくのか、その解明にとりくんでいるらしいが、まだ当分はむりなようだ」

「驚きました。そんな分野があったとは。しかし、なぜ、そんなお話しを……」

「これを頭に入れて聞いてくれ。あの少し前、西のほうの支店で、困った事態が発生した。外国から輸入しようとした品が、港の税関でストップさせられてしまったのだ。手続きはととのっており、めったにないことだ。もちろん本社から担当の重役を出張させ、説明させた。時間をかければなんとかなるのはわかっている。しかし、品物は一刻も早くさばきたいのだ。そこで緊急の処置として、ああいうことをやったのだ。きみの支店は、その事態解決のためのツボだったのだ。もっとうまくやればよかったのだが、なにしろわたしもあわてていたので、ああいう形での刺激となってしまった」

「そうとは知りませんでした。で、効果はあったのですか」

「あったとも。税関の係が自分のかんちがいをみとめて、最優先で処理してくれた。おかげで社も大損害をまぬかれた」

「とても信じられません」

しばらくのあいだ青年はぼんやりしたままだった。社長は引出しから何枚かの図面を出し、青年に見せた。それは前後左右からの人間の絵で、各所にツボが点々とされている。そして、それらの点が線で結ばれていて、ちょうど、何本もの鉄道の駅の図といった感じだった。社長は言った。

「これが人体のツボだ」

「ずいぶんあるんですね。この何条もの線はなんなのですか」

「これは経絡という。たとえば、消化器系統の病気の時、この経絡のツボのそれぞれにハリやキュウで刺激を与えると、症状がとれる。呼吸器系統の時はこの経絡だ」

「そうでしたか。それで、ツボとツボとはなんで連絡し、経絡を形づくっているのですか」

「それも、現代医学ではまだ不明なのだ」

「本当にきくのでしょうね」

「細菌やビールスによる病気は、現代医学の力を借りなければだめだ。しかし、ハリによる麻酔など、現実に成功している。ききめがないものだったら、何千年の年月を超えて、今日に伝わらなかったはずだ」

「何千年ですって……」

「ハリやキュウの発生は、古代ペルシャともインドともいわれている。大ぜいの体験のつみ重ねでツボの発見がなされたという説もあるし、インドの行者《ぎょうじゃ》が瞑想《めいそう》にふけり、悟りのような形でツボの存在を感知したという説もある。それが中国に渡って発展し、さらに日本に移入され、現在に及んでいるというわけだ」

「そうでしたか……」

青年は図を何回もながめなおして、感心している。社長は自分で金庫をあけ、一枚の図面を出して、机の上の経絡の図の上にひろげた。

それは全国の地図で、各所に点がしるされている。この企業の支店、出張所、直営小売店、陳列所、工場、寮などの所在地だ。青年は言った。

「わが社の大きさを、あらためて感じます」

その点々は、経絡のように線で結びつけられていた。普通の業務系統なら、本社を中心に放射状になるはずだが、そうではないのだ。社長はその線を指でなぞりながら言った。

「これがわが社の支店などのうち、ツボの価値を持っているものだ。小さな点のは、価値のないところだ。つまり、一般的な意味での重要性と、ツボとしての重要性とはちがうのだ。大きく活動している支店、必ずしもツボとは限らない。どんな事態の時、どのツボを刺激したらいいかは、かなりむずかしい知識でもあるし、最高幹部しか知らない」

「いったい、いつごろから、こんな方法がとられていたのですか」

「わが社の二代目の社長だよ。ハリやキュウに関心があった。そのうち、企業という組織体にも、ツボがあるのではないかと気がついた。そんなことへの感覚の鋭い、ある種の才能の持主だったのだろう。そして、この図面が作られたのだ。この方針はうけつがれ、新しいツボの発見や、修正がなされ、いまにいたったというわけだ」

「すると、この本社にある最新式のコンピューター・システムは……」

「あれはあれで、もちろん必要だよ。現代医学だって、効果はある。カロリー、ビタミン、アミノ酸、消化剤、血液検査、心電図、脳波、レントゲン。これらを無視しては健康の維持はできない。コンピューター・システムはそれに当る。しかし、それに加えてわが社は、東洋医学的な原理をも導入しているのだ。わが社は他社にくらべ、一段と業績がいいはずだが……」

「その秘密はこれだったのですか」

「わたしがきみの支店に急行し、あんなことをした時、どう感じた」

「わけはわからないが、社のためにきっと重要なことにちがいないと思ってやりましたよ」

「そうだろう。テレパシーといえるかどうかはわからない。しかし、その張り切りが、なんらかの形で、税関とごたごたを起している西のほうの支店への助けとなったのだよ」

「たしかに効果はあった。理解はできませんが、信ぜざるをえませんね……」

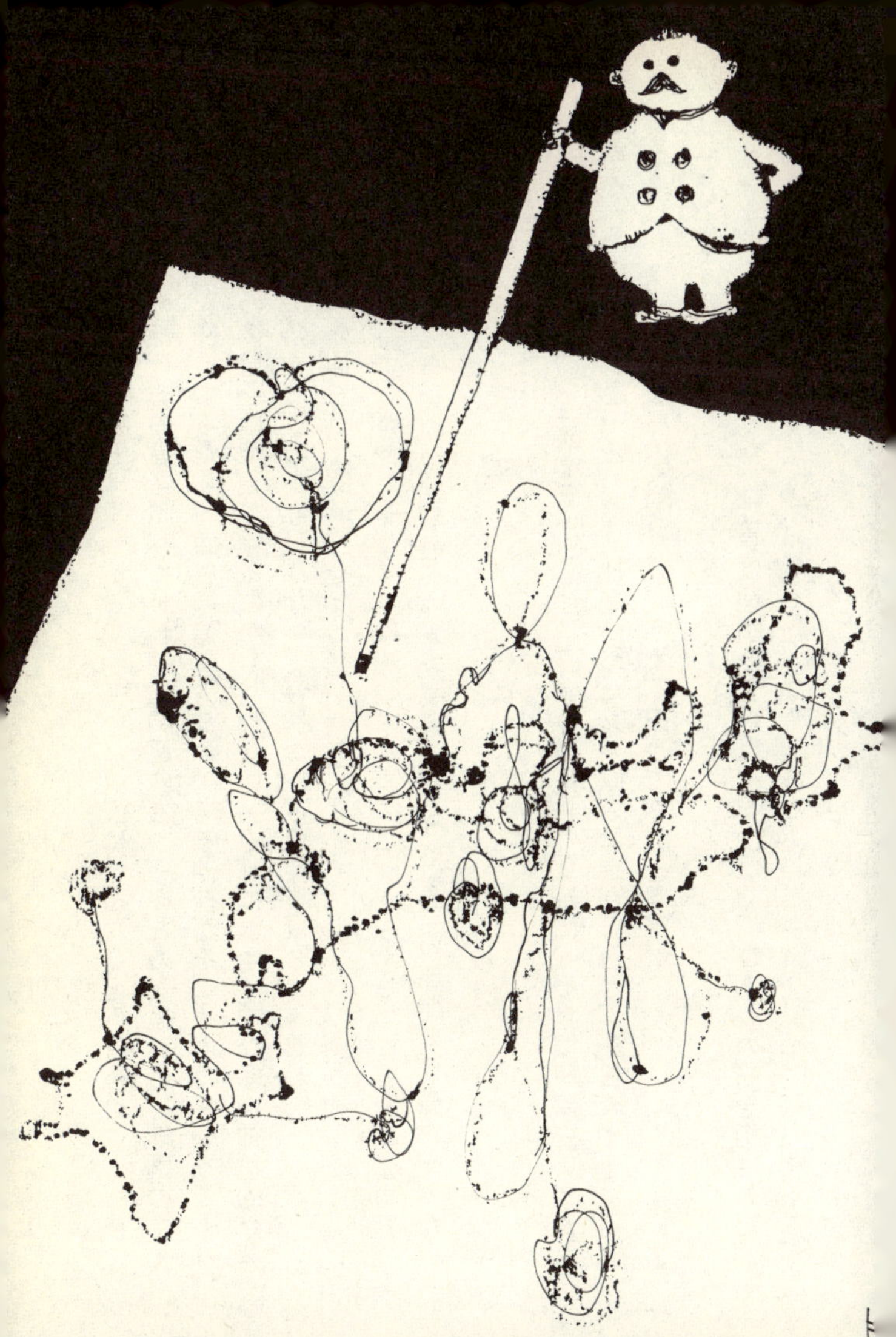

青年の態度は、最初とはすっかり変っていた。彼はこんなことも言った。

「……全国の神社やお寺を調べてまわり、関連のありそうなのを検討し、地図の上で結んで経絡を作ってみたら、面白いでしょうね。ある神社がそこにあるということは、一種のツボの役目をはたしているのかもしれない。それによって、なにか神秘的な興味ある原理が発見できるかもしれない。容易ならざる作業でしょうがね」

そんな青年を見て、社長が言った。

「わたしは話してしまったし、きみは知ってしまった。きみもこのことを秘密にしながら、普通の仕事をつづけるのも大変だろう。どうだ、この部門の仕事をやらないか」

「といいますと……」

「もちろん、公然とはできない。社長直属の秘書課のなかに、調査振興係といったものを作って、それをやるのだ。社長のわたしが直接に乗りこむと、先日のように目立ってしまう。きみなら体験者だし、うまくやってくれそうだ」

「やりますよ。まず、なにを……」

青年は身を乗り出した。社長は地図の上の点々をつなぐ、ひとつの筋を指さした。

「この経絡に刺激を与えて回ってくれ。このところ、わが企業全般に、気のゆるみがみられる。その症状をなおすのだ。こういうことは業務命令や社内報でも努力しているが、それだけでは効果はあがらないのだ。急ぐことはない。きみはこの筋の上の点をたどって、支店や出張所に刺激を与えてくれ。強くなくていい。これは緊急事態ではない。つまり、体調をととのえるようなものなのだ」

「やりましょう。なんだか巡礼みたいな感じですね」

「そうそう、きみもいいことを言うぞ。たのもしい。まさに巡礼だ。なぜ、ああいう順序でおまいりして回ると、ごりやくがあるのか、その理由はわからない。しかし、現実にそれをやる人は多いのだ」

青年はいったん北の支店へ戻り、事務のひきつぎをして、本社のこの新しい役へ転任となった。昇進なのか格下げなのかはわからない。しかし、働きがいのある地位だった。

青年はまず南のはじの支店へ出かけて、支店長に会った。

「本社からまいりました」

「なにか急用でも……」

「わたし、社長直属ですが、調査振興係という、つまらない地位です。業務の正式の指令は、それなりのルートがあり、それを乱すわけにはいきません。ごきげんうかがいに来たようなものです。ところで、あなたは絵をお描きになるそうで……」

「いや、たいしたことはありませんよ」

「社長はご存知ですよ。社の展覧会に出品なさったことがおありでしょう。社長はあれを、いまだにほめております」

「それは光栄ですな」

「そこで、どうでしょう。あなたが指導して、ここの支店の人たちに絵の趣味を持たせたら。やがて風格が高まり、それは業績にも反映するでしょう。こと絵に関しては、企業内でここの支店が最高だとなれば、みなさんの誇りにもなる」

「そうですな。さっそくやりましょう」

支店長は張りきる。なかには絵が苦手で、いやがる者もいるかもしれない。しかし、なんだかんだで一種の刺激を与えたことにはなるのだった。

人数が三人ほどの、小さな出張所を訪れることもある。

「どうです、景気は」

「まあまあですよ。この地方はおだやかで、ほとんど変化はありません」

「ねえ、思い切って、事務所のなかも外見も、超近代的に改装してみませんか。この地区の人たちは、目をみはって認識しなおしますよ」

「しかし、そう言われても……」

「よく考えてごらんなさい。この出張所は、人数は少ないが、できたのは古いのです。それだけの重要性はあるのです。おやりなさい。その経費は、わたしが社長にみとめさせます」

「では、やってみますかな」

実行に移される。気分は一新し、一種の刺激になるのだった。

こうして青年は、南から北へと回る。もっとも回るといっても、急ぐことはない。一か所をすませるたびに本社へ戻り、報告をし、つぎの目標の調査をやってから出かけるのだ。

つづけているうちに、気のせいか、企業ぜんたいに活気があふれはじめたように思えてきた。コンピューター・システムは高性能で完全かもしれないが、それ以外のまったくべつな方法も必要らしいとわかってきた。

ある日、青年は社長に呼ばれた。

「一大事が起った。わが社の支店がやられた」

「いったい、なにごとですか」

社長は地図を指さして言う。

「ここの支店が、強盗団に襲われた。ただの強盗ではない。武器を持ったやつらに、支店長はじめ何人かが人質にされ、金を要求されている。警察も手が出せない」

「大変ですね。どうしましょう」

社長は地図のそこからかなりはなれた地点を指さして言う。

「ここにわが社の工場がある。きみはすぐそこへ行ってくれ。そこの工場長を酔いつぶさせてくれ。彼はかなり強いから、容易でないが、一刻も早くそれをやりとげてくれ。工場長が酔ったあげく、あばれてくれればなおいい」

「いったいなぜ……」

「それが、ここの支店を救うツボなのだ。本来なら、わたしか副社長がやるべきなのだが、外国の関係者との約束があり、行けないのだよ」

「わかりました。すぐ行きます」

社から直行し、青年はそれをやりとげた。工場長が料理屋で大あばれしたところまでおぼえている。翌日、二日酔いもいいところだった。頭の痛みもひどい。しかし、むりをして起き、テレビをつけると、支店を占拠した強盗たちは、警官たちの説得によって建物を出て逮捕されたとあった。ツボへの効果はあったのだ。

青年にとって、まさに働きがいのある仕事だった。要領もわかってくる。そのうち、彼は秘書課のなかのひとりの女性を好きになった。話しかけたり、さそったりしてみるが、どうも思わしく進展しない。これに関してだけは、ひとり悩まなければならなかった。

ある日、社長が青年に言う。

「よくやってくれているな。わが社の体質もだいぶよくなったようだ」

「仕事が面白くてなりません」

「しかし、きみ、なにか元気がないな。相談に乗ってやるぞ。問題はなんだ」

「じつは……」

と青年はわけを話した。社長はうなずく。

「なるほど。ほかならぬきみのことだ。わたしも手伝おう」

「社長が彼女に、わたしを好きになるよう命じて下さるのですか」

「こういうことは、命令したってむりだ。ちょっと待て、どうしたらいいか、見てみる……」

社長は金庫から書類を出してながめ、そして、言った。

「……これから一か月間、ぶっつづけで宿直をやってみろ」

「夜中の万一の事態にそなえての役で、気疲れするばかりで割があわないと、みながいやいやながら交代でやっている仕事ですね。いったい、なぜ……」

「宿直室がツボなのだ。あの席の女性を手に入れるための。一か月、そこですごしてみろ」

「そうでしたか。やりますよ」

青年は宿直の仕事をつづけた。昼間は休めるが、夜となると緊張する。どこの出張所長が死んだとか、どこの工場で火事があったとか、そういう電話を受け、朝までに報告書を作っておかなければならない。話し相手もなく、楽しいことはなにもない。よくあんな仕事を好きでやれると、ほかの社員たちからふしぎがられた。

長い一か月がすぎる。

効果はあった。いままではそっけなかったのに、女のほうから青年に近づいてきた。やがて、めでたく結婚。

「あたし、どうしてあなたといっしょになったのかしら」

「後悔してるかい」

「いいえ、しあわせよ」

「それなら、いいじゃないか。人生って、ふしぎなものさ」

なにしろ、それ以上に説明のしようがないのだ。

あと五十日

その男は五十歳ちょっと。会社での地位は部長だった。有能で仕事をよくやり、やがては重役になるだろうとだれもがうわさをしていた。上役とも部下ともうまくいっている。妻もべつに欠点のある女性ではなかった。むすこがひとり、いい大学に入っていた。つまり、家庭にはなにも問題はなかった。そのため、男は会社の仕事にうちこめるというわけだった。

ある日の帰り、夕ぐれの道で、男は横からだれかに声をかけられた。

「あと五十日でございますよ」

「え……」

と男はそっちを見る。黒っぽい服の、やせた男性がそばを歩いている。年齢不明だが、いやにふけた感じだった。若々しさとか活気といったものが、まるでない。そのくせ、口調だけははっきりしていた。なんとなく陰気なやつだな。それが第一印象だった。

「なんですって……」

「あと五十日だとお知らせしたのですよ」

「いったい」

男はさらに聞こうとした。しかし、その時、うしろから追いついてきた会社の部下があいさつをした。

「部長。では、またあした」

「ああ……」

とうなずく男に部下が言った。

「おや、なんだか元気がありませんね。部長らしくございません。どうかなさったのですか」

「いま、変なやつに話しかけられたのでね」

「いつです」

「たった、いまだ。わたしのそばに、黒い服のやつがいただろう」

「さあ、気がつきませんでした。だれもいませんでしたよ」

「そうかい」

「たしかですよ。だれかとお話しなさっていたら、わたしは声をかけて、そのおじゃまをしたりはいたしません」

「だろうな」

男はこの部下の性格をよく知っている。でたらめを言う人間ではない。ということは……。

幻覚のたぐいだったのだろう。錯覚かもしれない。通行人のだれかの声が、なにかのかげんで耳に入ったのだろう。しかし、それにしては、いやにはっきりと黒い服の姿が頭のなかに焼きついている。たしかに、あと五十日と聞いたようだ。どういうことなのだろう。なんだかわからないながら、ちょっと気になった。

それがただの幻覚でなかったことは、つぎの日になってはっきりした。会社の帰りに、またも話しかけられたのだ。

「あと四十九日でございますよ」

あの陰気なやつが、並んでそばを歩いている。男は聞いた。

「いったい、なんのことなのです」

「いろいろと整理やなにかがあることと存じますので、親切に教えてさしあげているというわけでございます」

相手はいっしょにくっついてきて、駅の改札口を通り抜けた。そいつは切符も定期券も出すことなく、平然とそこを通った。また、駅員も無視した態度を示していた。とがめだてもしない。どうやら、こいつは他人の目には見えない存在らしい。男は驚くというより、いやな気分になった。

ホームに立ったが、まだそばにいる。

「もっとはっきり言ってくれ。なにがあと四十九日なのだ」

「あなたの人生がですよ」

「なんだって……」

ぞっとしたものを背中に感じた。さらにたしかめようとしたが、そいつは人ごみのなかに消えていた。まぎれこんだのではなく、消えるようにいなくなっていたのだ。いやな気分は、一段と高まった。

いつかは、こんなことになるんじゃないか。そんな不吉な予感をいだいたことが、かつてあった。しかし、まさかそんなことがと、すぐに忘れた。それがいま、現実のものとなってしまった。ついに死神にとりつかれてしまったのだ。

つぎの日、男は病院へ行き、みてもらった。こう言われる。

「どこも悪いところはありません。血圧も血沈も正常。健康そのものです。ご心配なら精密検査をいたしますが、その必要はないでしょう」

「あと数十日の命だなんてことはありませんか」

「それは冗談ですか。本当にそうだったら、すぐに入院をおすすめしますよ。心配なさるようなことは、決してありません」

「ありがとうございます」

病院を出ると夕ぐれで、いつのまにか黒い服のやつがそばに立っていた。

「あと四十八日でございますよ」

「ご注意いただいたのでみてもらったが、医者は正常だと言っていたぜ」

「わたしが申し上げたのは、ご注意でなく、宣告でございます。お医者さんに事故が防げますかね」

「すると、わたしは事故にあうのか」

「そうとは限りません。人生にはいろいろな終り方があるのです」

食中毒。凶悪なやつに理由もなく襲われる。火災。爆発。上からなにかが落ちてくる。酔っぱらってころんで……。

まったく、いまの世の中には、危険なことが多すぎる。考えただけでもうんざりするほどだ。防ぎきれるかどうか。ふと気がつくと、そばのそいつの姿は消えていた。

つぎの日、男は妻子のふしぎがるのをかまわず、休日を利用して神社へおまいりに出かけた。そのあと、お寺へも寄った。こうなったら、神仏の加護にたよる以外にない。さらに、よく当るという占い師のところへまわり、意見を聞いた。陽気に生活を送るようつとめれば難はまぬかれるという、もっともらしい答えを得た。

しかし、効果はなかった。帰り道、どこからともなく、あいつがあらわれてこう言ったのだ。

「あと四十七日でございます。つまらないことで時間をむだに使われるというのは、どうかと存じますが……」

「おまえを追っ払うために、神仏に祈りをささげてきたぞ」

「神社やお寺でことが防げるのなら、世の中、なにもかももっとうまくいっているはずでございます。あがいてもだめです。わたしにとりつかれたら、終りなのでございますよ。念のためにお教えしておきますが、つまらないまじないなどに、お金を使わないことです。それこそ、むだもいいとこです」

「なにか方法があるはずだ」

「あるわけがございません」

しかし、男はまだ半信半疑だった。どことといって、からだに異常はないのだ。あと

数十日で人生が終るような気がしない。妄想か幻覚のたぐいにちがいない。第一、死神なんて話を聞いたことがない。仕事にうちこむことで、忘れるようにしよう。

男はそうつとめた。

しかし、神仏も仕事も、そいつを消すことはできなかった。毎日、男の帰り道にあらわれ、あと何日と前日より確実にひとつ少ない数を告げるのだ。一週間がすぎた。

「あと四十日でございますよ」

「そうかい」

「あなたさまのようなかたは珍しい。こっちのほうが、はらはらしてしまいます。だまっていてもよかったのですが、あなたさまのためと思ってお知らせしたのでございますよ。そんなことでよろしいのですか。どういうおつもりなのです。よくお考えになったほうがいいのじゃないでしょうか」

そいつは、ちょっと笑った。陰気な表情をゆがめての笑いだった。いやになまなましく、それに接したとたん、男は信じた。理屈もなにもなく、これは現実なのだと。自分をごまかそうとしても、むりらしいと知った。こいつは本物の死神で、それにとっつかまってしまったのだ。だから、あと四十日で死ななければならない。のがれられぬ運命らしい。

そいつは、いつのまにか消えていた。その夜、男は頭のなかがぎゅうづめにされたような気分で、まったく眠れなかった。

「あと三十九日でございます」

つぎの日にこう言われ、男はもう、こんな一日きざみにはがまんできないと、自殺をはかった。前夜の睡眠不足もあり、正常な精神状態でなかった。駅のホームから、走ってくる電車めがけて身を投げようとしたのだ。しかし、なんということ、その意志はあるのに、からだが動かない。ビルの屋上にのぼり、飛びおりようとしたが、それもだめ。なにかべつな方法はないかと考えていると、あいつがあらわれて言った。

「わたしがあと三十九日と申し上げたからには、その通りなのでございます。ご自分でそれを変えようとしてもだめなのです。なさるべきことが、もっとおありでしょう」

そういうしかけなのか。その日までは、勝手に死ぬこともできないらしい。

となったら、思いきり楽しんだほうがいいのかもしれない。男はそう思い会社へ休養届を出し、自分の銀行預金をおろし、外国旅行へ出かけることにした。それを知って、妻が不満をもらした。

「せっかく将来のためにとためてきたお金なのに。それを目的のない外国旅行に使ってしまうなんて……」

「したいようにさせてくれ。将来の金のことは心配するな」

男はその手配をした。自分にかけてある生命保険を増額したのだ。健康体なので、保険会社はみとめてくれた。まあ、これで使った金の埋め合せはつくというものだ。妻子がすぐに生活に困るということもない。

彼は出発し、外国の各都市を遊びまわった。あの死神も外国までは追っかけてこなかった。日数を告げるいやな声を耳にしなくてすんだ。ショーを見物し、酒を飲み、時には商売女とも遊んだ。ギャンブルにも手を出したが、こういう時に限ってもうかる。男はさらに遊びまわった。みやげ物に頭を使うこともなく、仕事のことを考えることもないのだ。

まさに、いい気ばらしだった。死神の恐怖もいくらか薄れた。あれは幻覚だったのかもしれないと思えてきた。

そして、帰国。しかし、事態はいっこうによくなっていなかった。夕ぐれの空港に、あいつがどこからともなくあらわれて言った。

「だいぶお楽しみのようでしたね。けっこうでした。わたしもお知らせしたかいがあったというものです。あと、十三日でございます」

それを聞いたとたん、男はがっかりした。やはり、あの宣告はそのままだったのだ。

帰宅した彼は、買ってきた酒を飲み、その勢いで眠った。

つぎの日は、朝から飲みつづけだった。酔いの力で不安をごまかそうとしたのだ。

だが、夕方になると、やつがそばに出現して告げる。

「あと十二日でございます」

なんともいえぬ、いやな声。酔いはたちまちさめ、また飲みなおす。

つぎの日、妻とむすこが、たまりかねて質問した。

「いったい、どうなさったのです。わけもわからず外国へ遊びに出かける。そして、帰ってからは酒を飲みつづけ……」

「話したところで、わかってはくれまい」

「しかし、事情をうかがわないことには……」

「じつは、死神にとりつかれたのだ。このあいだから夕方になるとあらわれ、人生がそう長くないことをささやくのだ」

「まさか……」

「そう思うだろうな。わたしだって、最初はそう思った。そうだったら、どんなにいいだろう。しかし、現実なのだ。やつは毎日かならずあらわれ、あと何日と話す。わたしがこの世の思い出にと外国へ遊びに出かけたのも、そのためだ。旅行中、やつは出なかったが、帰ったとたん出現しはじめた」

そう話し、男はため息をついた。妻は言った。

「そういえば、いつだったか、急に神社におまいりに出かけたりしたわね。あの時、すでにそうだったんですの」

「そうだ。しかし、神仏の力をもってしても防げないものらしい。やつは依然としてあらわれる」

「お話をうかがうと、思い当ることばかりですわ。普通のあなただったら、ああはなりませんものね。それで、いったい、あと何日なんですの」

「きのう、あと十二日と言われた」

「ああ、なんということでしょう……」

妻は泣き、叫び、半狂乱となった。それをなだめるために、男はひと苦労した。なんと話しかけたものか、見当もつかないのだ。むすこのほうは深刻な表情になり、だまったまま。気分を引きたたせようにも、明るい話題を思いつけるわけはないのだ。

そんなことで、男は死の恐怖をしばらく忘れた。

さわぎのなかに、また、あいつがあらわれて言った。

「あと十一日でございます。だいぶ、ごたごたなさっておいでのようですな」

「こうなったのも、おまえがあんなことをわたしに言ったからだ。わたしは悩んだり遊んだりで、しだいに覚悟ができてきたが、妻子はこのありさまだ。話さないほうがよかったのかもしれない」

「しかし、もう話してしまった。そのうち、なんとかおさまりましょう。問題はあなたについてで、奥さんやお子さんは関係ないのですから、その点をよくご説明になれば……」

「そうかもしれないな」

男はこの相手に親近感を持つようになっていた。そばでむすこが言う。

「おとうさん。だれと話しているのです」

「そうか、おまえの目には見えないのだったな。その死神とだよ」

「じゃあ、やはり本当なんですね」

「まあ、みんなで酒でも飲もう……」

妻子に酒をすすめ、男は言った。

「……こうなってしまっては、もう、どうにもならないのだ。そりゃ、正直なところもっと生きていたいが、欲を出したらきりがない。人間、いつかは死ななくてはならないのだ。しかたがないと思うしかない。おまえたちもあきらめてくれ。生命保険も増額してある……」

あれこれ説明すると、妻子は事態を理解してくれた。あきらめる以外に方法がないのだ。男はさらに言う。

「……わたしは、あしたから会社へ出ようと思う。考えてみると、長くつとめた会社だ。仕事にひと区切りつけ、あとの人たちに迷惑のかかるのを少なくしておいてやろう。いつだったか、上役に急死され、みなで困ったことがあった」

男はつぎの日、久しぶりで会社へ出た。

「長い休暇だったな」

「ああ。しかし、きょうから、また大いにがんばるつもりだ」

かなりの仕事がたまっていた。男は張り切って、それらをつぎつぎに片づけた。また、部下のひとりひとりを呼んで、仕事上のこまかい注意をした。部長というものは、こういう視点からみなの働きぶりを見ている、それを考えて仕事をすればうまくゆくなどと。

「そんなことまで打ちあけてしまったら、部長としての価値がなくなってしまうんじゃありませんか」

といった感想をもらす者もあった。だが、男はただ静かに笑うばかり。あいかわらず、れいのやつは出現する。

「あと七日でございますよ」

「わかっているよ。仕事を片づけている。こうさせたかったんだろう」

「けっこうなことでございます」

　男は墓地を買った。墓石の注文もした。どうせ必要なものなのだ。また、死亡通知の印刷もたのんだ。印刷屋は日付けを見てふしぎがったが、冗談だと言い前金を払うと、引き受けてくれた。

「あと四日でございます」

　部下たちに伝えるべきことは、もはやない。男は社長に会って話した。社長の目のとどかないところで、どのようなごまかしがなされているか、実例をあげてくわしく説明した。また、各人についての評判なども。社長はうなずく。

「たいへん参考になった。知らなかったことばかりだ。社内改革の資料にしよう。しかし、そうなると、きみが話したということが表面に出て、みなにきらわれ、うらまれることになるぞ」

「そのご心配はいりません。会社のためと思ってお話ししたのです」

きっと、葬式の日には社長から大きな花輪がとどくだろう。香典もたくさん出るにちがいない。

「あと三日でございます」

「じたばたはしないよ。そっちは、本当は、それを見物したかったのだろうな。しかし、意地でもその手には乗らないよ。お気の毒だがね」

男はすっかり覚悟している。死亡通知のあて名を書き、そのあと学生時代に親しかった友人とバーへ出かけて酒を飲んだ。

「あと二日でございますよ」

夕食のあと、男は妻に言った。

「あと二日だそうだ。まったく、妙な気分だ。なにか方法が残されているのなら、必死になって最後まで努力してみるところだろうが、それがなんにもないとくる」

「あたしもですわ。あなたが死んだあと、あらためて悲しみがこみあげてくるでしょうけど」

「こうなったら打ちあけるが、結婚してから、何回か浮気をしたことがあった。このあいだの旅行では、したいほうだいのことをした。だまったまま死んでゆくのも気になる。許してくれ」

「許すも許さないもありませんわ。じつはね、あたしも浮気をしたことがあったんですの」

「そりゃあ、知らなかった。腹を立ててなぐりつけたいところだが、あと二日となっては、そんなこと、どうでもいい気分だ。許すよ。人間とは完全なものじゃないんだ」

そこへ、むすこがやってきて男にささやいた。

「おとうさん。じつは、ぼく、おとうさんの金をくすねたことがあったんです。許して下さい」

「いいとも、いいとも。わたしだって、おまえの日記を盗み読みしたことがあった。しかし、もうまもなく終り、そんな人間的なこともできなくなるのだ。残念だな」

つぎの日、男は妻子とともに外出し、レストランで夕食をとった。値段にかまわず、食べたいものを注文し、飲みたいだけ酒を飲んだ。しかし、そう大量には飲まなかった。やけになってみてもしょうがないのだ。

「あと一日でございます。つまり、あしたの夜中までです」

夜があける。その日はずっと、男は自宅ですごした。身辺の整理で、し残したことはないかと考えたが、あまりなかった。友人の借金の証書が出てきた。いまさら取り立ててもしょうがあるまい。彼はそれを焼き捨てた。

これで、この世ともおさらばか。この五十日、ほかの過し方もあったのだろう。しかし、まあ、こんなところが適当なのだろうな。すべてが悪夢であってくれればいいのだが、きのう、あと一日という声を聞いている。ここまで来てしまったのだ。時間の流れは止めようがない。

軽い夕食のあと、男は妻子に言う。

「おやすみ、そして、さよならだ。ひとりで静かに死なせてもらうよ。いまさらさわいでも、どうにもならない。あしたになったら、わたしはもう、この世にいない。そうそう、あとで死亡通知をポストに入れといてくれ」

男は睡眠薬を少し飲み、ベッドの上に横になった。もはや、さきのことを思いわずらうことはないのだ。これまでのことを回想しているうちに、やがて眠くなる……。

ふと目ざめる。まだ十二時前のようだな。あとどれぐらいあるのだろう。スタンドをつけて、時計をのぞく。

午前三時。

「どういうことなんだ。時計が狂っているのかな。おかしい」

しかし、時計はちゃんと動いている。

「ということは、すでに死んでいるというわけなのだろうか」

呼吸もつづいていて、死の実感はわいてこなかった。なにがおこったのだろう。あれこれ考えているうちに、あたりが明るくなる。黒い服の男があらわれて言った。

「第一日目でございます」

「なんだって。どうなっているんだ。これは……」

「これからどうなさるのか。それが興味の的というわけでして」

「なんだと、死神め。話がちがうぞ」

「自分を死神だと申し上げたことは、一回もございませんよ。そちらが勝手におきめになったのです。わたしは、それより、もっとたちの悪い存在でしてね。もう出現はいたしませんよ。あとは遠くから見物するだけです」

「まったく、たちが悪い……」

つぶやく男にそいつはにやにや笑って言った。

「これから、どうなさいます……」

包み

　ある画廊で個展が開かれていた。その老人の画家は、第一日目ということもあり、そこに姿を見せていた。年齢のわりには、ずいぶん若々しく見えた。

　鑑賞しようと入ってくる人の流れは、なかなか絶えなかった。画廊の主人はうれしそうだった。

「先生、今回も成功ですよ。ごらんなさい、みな熱心にながめています」

　やってきた美術評論家は、画家のそばへ来て話しかけた。

「すばらしい。またも新しい分野を開拓なさいましたね」

「ありがとうございます。ほめていただいて」

「おせじじゃありませんよ。拝見して、びっくりしました。すべての絵に共通して、静寂がありますね。あの風景画もそうだし、こっちの都会の絵もそうだ。静かさがみちています。そこですよ、面白いのは」

「面白いでしょう」

「ええ、ただの面白さじゃありません。あの風景画、荒れ狂う暴風を描きながら、音をまるで感じさせない。それに、あの絵。楽器を演奏する若者たちを描いていて、うるさくなければならないのに、感じさせるものは静寂です。ふしぎでなりません。奇妙です。いや、神秘的というべきかな。あなたみたいに評論家泣かせの画家はいませんよ。つぎにどう発展するのか、まるで予測がつかない。いったい、どうしてこんな構想がわいてきたのです」

「なんとなく、そんな気になったのですよ」

「ずっと静寂というものを追求してきたというのならわかるのですがね。しかし、あなたはそうじゃない。個展を開くたびに、まったく新しい世界を作りあげる。つぎは、どんなテーマをあつかわれますか」

「それは、まだわかりません」

「しかし、いずれにせよ、また新しい分野を拝見できることはたしかですね。かけねなしに、あなたは前例のない画家です」

　この評論家ばかりでなく、会場に飾られている絵を見る者は、みな同じような感想を持つのだった。

その画家は、五十歳のころまでは、まったく世に認められなかった。無名もいいところ。そのため、結婚どころでなく、いまだに独身だった。食うや食わずの生活がずっとつづいていた。好きで選んだ道とはいうものの、いいことはあまりなかった。ちょっとした金持ちや成功者たちにたのまれて肖像画を描くとか、地方の町からたのまれて名所の景色を描くとかいう仕事をやっていた。早くいえば、写真がわりといったあつかいだった。そういう腕前はあり、できたものはまさに写真に近いほどみごとなのだが、それだけなのだった。個性とか、想像力とか、訴えるものとか、そういうものがない。したがって、そんなたぐいの注文しかなかったのだ。

古くから知りあいの画商は、そんな画家を気の毒に思い、このような依頼を取り次いでくれる。しかし、好きなように腕をふるった作品をたのまれることはなかった。いいもののできるわけがなかった。それに、本人にもその自信はなかった。

都会では生活の費用がかかりすぎるので、その画家はいなかに居を移した。山すその村の一軒の小さな家を借りて住み、衣食住すべて安あがりだった。周囲に刺激的なものはなんにもないが、それはいたしかたない。画商からの依頼があると、都会や他の地方に出かけるが、そのほかの日々は、ここですごすのだった。

近くの風景を写生してみたこともあった。しかし、やってきた画商は、それを引き取ってくれなかった。もっとも、期待もしていなかった。画家はひとりつぶやく。

「このへんは空気もいいし、水もきよらかだ。健康にはいいぞ。きっと長生きするだろうな。しかし、わたしは今まで以上になれまい。残念だが、このとしになっては、ほかの職にもつけない。これが与えられた人生というものか……」

いささか、あきらめの心境になっていた。

そんな彼の上に、変化がもたらされた。ある夜、そろそろ眠ろうかという時刻、そとから戸がたたかれ、声がした。

「夜おそく、すみません……」

「なんでしょうか……」

画家は戸をあけた。ひとりの青年がそこに立っていた。色白で、育ちのよさそうな感じだった。頭もよさそうだ。しかし、なにか困っているようなようすだった。こんな青年をモデルにして描いてみたいな。ふと、そう思った。これまで、年配のいわゆる名士ばかりを描かされ、うんざりしていたのだ。

「……なかへお入りになりませんか」

退屈しのぎの話し相手になってもらいたい気もした。しかし、青年は言った。

「いえ、あまりご迷惑をおかけしたくありませんので、ここでけっこうです」

「なにかお困りのようですね。わたしでお役に立つのなら……」

「もし、よろしかったら、この包みをあずかっていただけませんか。どこか、そのへんの片すみにでも置いといて下さればいいのです」

「それぐらいでしたら、お安いご用です。ごらんのように、都会生活とちがって建物はぼろですが、場所だけはたっぷりあります」

「それは、ありがたい。じゃあ、よろしく。いずれ、おみやげでも持って、受け取りにまいります」

青年はかかえていた包みを戸口に置き、そのまま立ち去った。画家はそれを、すみのほうに移した。

そのうちあらわれるだろうと画家は心待ちしていたが、三か月ほどたっても、青年は受け取りに来なかった。

いったい、なにが入っているのだろう。画家はなんということなく考えた。そばへ行って見つめなおした。小型のカバンぐらいの大きさの四角いもの。紙で包んでテープでとめてあり、その上にひもがかけられている。文字はなんにも書いてなかった。高価なものが入っているような外観ではなかった。手で持ってみたが、重さからは中身の見当のつけようがなかった。

あけてみたい誘惑にかられたが、実行するにはためらいがあった。包みなおしたあとがあったら、青年がやってきた時、ぐあいの悪いことになる。

画商から仕事があるとの手紙がとどき、画家は都会へ出かけた。となりの家の人に、もし留守中に青年が来たら、あの包みを渡してやってくれとたのんで。

そして、仕事をすませて帰宅してみると、包みは依然としてそこにあった。あの青年は取りに来なかったのだ。さらに三か月がたった。包みをあずかってから半年たったことになる。

画家は包みの存在が気になってならなくなった。いったい、あの青年はどうしたんだろう。なぜ取りに来ないんだ。あのあと山道で遭難でもしたのだろうか。道に迷い、林の奥でだれにも発見されないまま死体になってしまったのではなかろうか。

包みの中身は、なんなのだろう。あの年ごろだ。恋愛をしているにちがいない。その女性の写真なんかも入っているのだろうな。あるいは、彼女へのみやげの品も。

どんな女性だろう。山で遭難したとも知らず、恋人の訪れるのをずっと待ちつづけている女。画家だけあって、あの青年の顔はよくおぼえていた。忘れがたい印象を残している。それにふさわしい女性となると……。

画家はこころみにデッサンをしてみた。こんなところかな。いや、もっと美人かもしれない。やってみると意外に面白かった。たぶん、こんなところではなかろうか。彼はそれを絵に仕上げた。モデルなしに描いたはじめての作品だった。

そのうち、ふと、もしかしたら年長の女性かもしれないと思った。色白で弱々しいところがあった。ああいう青年は、としうえの女性に愛されるタイプかもしれない。となると、こんな女性だろうか……。

そんなふうにして、四枚の絵ができあがった。

さらに何か月かがたったが、青年は包みを取りにあらわれなかった。どういうことなのだろう。死んだのでなければ……。

ひょっとしたら、犯罪に関連があるのかもしれない。所持していてはぐあいの悪いものだ。へたに捨てたら発見されるおそれがある。そこで、包みにしてさりげなくここにあずけていったとも考えられる。つまり、犯行現場に残しておけない凶器のたぐいだ。

しかし、あの青年はそう残忍そうには見えなかった。となると、自衛のためのやむをえない行為だろう。襲いかかられ、どうにも防ぎようがなく、たまたまそこにあった包丁をつかんで、相手を突き刺す。そんな光景が頭に浮かんできた。

画家はそれを絵にした。しかし、あの青年の顔を描くわけにはいかない。こっちを信用して包みをあずけていったのだ。それは裏切れない。

上半身はだかの男の胸。にくにくしい表情を持った胸、つまり、その上に凶悪な顔がくっついていそうな胸。それに突き刺さる寸前の包丁といった構図のものになった。一瞬後には、血しぶきの散るのが想像でき、思わず身を引きたくなるようなできばえだった。

彼はさらに描いた。あの青年、なにかどうにもがまんできないほどの屈辱を受け、そのあげくやったのかもしれない。そして、凶器はハンマーかもしれない。包みの重さから、そんな気もする。ハンマーをにぎった手という、簡単な構図の絵だった。その手はほっそりしているのに、にくしみがこもり、こまかなふるえが感じられるようなみごとなものとなった。映画のフィルムをストップさせたような、なんともいえない迫力があった。

久しぶりに都会から画商がやってきて、画家に言う。

「どうです、このごろは」

「まあまあですよ」

「また、いつものような注文を取ってきましたよ……」

と画商は話しかけたが、そのへんにある女を描いた四枚の絵を見つけて声を高めた。

「……いったい、これはだれが描いたんです。すばらしいものだ」

「わたくしですよ」

「なんですって。なるほど、たしかにあなたのタッチだ。しかし、いままでになかった、なにかがある。傑作ですよ。信じられないくらいだ。この女性たちの清純なこと。雑然とした現代にはありえないようなロマンチックなムードがある。モデルはだれです」

「それが、じつはいないんで……」

「あなたにしては、珍しいことじゃありませんか。ついに、ご自分の世界をおつかみになりましたな」

「そんなふうに言われると、悪い気はしませんね」

こんなことははじめてで、画家は照れくさがっていた。画商は室内を歩きまわり、包丁とハンマーの絵も見つけ出した。

「おや、これはまた、がらりと変った作品ですね。ぞくっとくるものがある。どなたが描いたのですか」

「それも、わたしです」

「まさか。いや、よく見るとやはりあなたのタッチだ。むこうの女の絵とくらべると、まったく異質なものがある」

「そんな絵は、売り物にならないでしょう」

「いやいや、最近はこんなタイプのものを評価する人もいるんですよ。いわゆる絵らしい絵にはあきあきしたといってね。それにしても、こう両極端をよく描きわけられましたね」

「ええ、まあ、なんとか……」

「わたしは、いい絵を売るのが商売。芸術家の内面までは立ち入れないし、そうしようとも思いません。しかし、傑作を見つけることにかけては、修行をつんでいるつもりです。大変なことですよ、これは。持ってきた注文は、ほかの人に回してしまいましょう。それどころじゃない事態です。まず、この絵をみんな、わたしにおまかせなさい。画廊に並べて、少し宣伝してみます。きっと反響がありますよ。ほかの人たちの絵とくらべて、決して見おとりしません。それどころか、圧倒してしまうでしょう」

「うまくゆくでしょうか」

「大丈夫ですよ、この商売は長いんです。勘でわかりますよ。あなたは長い不遇時代を乗り越え、やっと自分の才能をめざめさせたのです。そうそう、これを機会に、名前をお変えなさい。新人として生れ変るのです。まあ、楽しみにお待ち下さい。うまくやってさしあげます」

画商はひとりで興奮し、それらを持ち帰った。そして、展示がなされ、好評だった。名を変えたため、いままでの写真がわりのような絵を描いていたのと別人に思われ、それもよかった。画商は驚異の新人として売り出したのだ。

どえらい画家があらわれた。清純なものを描くかと思えば、血のにおいを感じさせるものも描く。五十歳すぎだそうだ。それなのに、よくこれだけはばひろい対象に取り組めたものだ。才能が花ひらくとは、こういうことなのだろう。これからが楽しみだ。といったぐあいに好評だった。

画商は画家のところへ報告に来た。

「みんな高く売れましたよ。それから、これが批評です」

と美術評論家たちの文章の切り抜きを見せた。

「夢のような気分ですよ」

「現実をみとめて、これからは自信をお持ちなさい。これからは、お好きなように、どんどん描いて下さい。清純ものでもいいし、犯罪ムードのでもいい。お客さんが待っているんです。あの調子を忘れないようにね。すぐとりかかって下さい」

「しかし、そううまく描けるかどうか」

「大丈夫ですよ、いまのあなたなら」

まとまった金を置いて、画商は帰っていった。画家は数日間、ぼんやりとすごした。なかなか事態が信じられなかったのだ。しかし、のんびりともしていられない。

ではとりかかるかと、清純な女を描こうとした。だが、ぜんぜんうまくいかない。あの時は、包みのなかに、青年の恋人に関係しているものが入っているのではと想像したから描けたのだ。また、犯罪ムードのものも描けなくなっていた。いまは凶器のたぐいじゃないだろうと思えてきたのだ。刃物やハンマーなら、山奥のどこかに埋めればいいのだ。

もうかなりたったのに、包みをあずけた青年はまだあらわれない。中身はなんなのだろう。ながめていると、考えはしぜんにそのことになってしまう。

わたしは他人の目に悪人とはうつらないはずだ。そこをみこんで、あの青年はあずけていったのだ。なにか貴重なものが入っているのかもしれない。なんだろう。最も単純に考えてみよう。たとえば、大金。巧妙に盗むか横領した金ということだってある。常識があれば、すぐに使ったりすると発覚するぐらい、だれにだってわかる。ほとぼりのさめるまで、時間をかせいだほうが賢明だ。

銀行に持ちこむと、巨額なので怪しまれたりする。といって、自分で持っていると、使いたいという誘惑に負けてしまう。そこで、目立たない外見にして、ここへさりげなくあずけたのかもしれない。普通の人だったら、あの中身が高額紙幣でぎっしりなんて、想像もしないだろう。うまい方法だ。

となると、横取りして使ってしまっても、文句は出ないことになる。もし青年があらわれたら、目の前であけてみろと要求しよう。中身の確認のためだとか言って。相手は困り、口どめ料として、半分ぐらいくれるだろう。それでも、かなり使いでがあるぞ。

しかし、画家はなにを描いたものかわからず、近所の風景を写生し、何枚か絵にした。画商がようすを見にやってきて言った。

「いかがです、なにかおできになりましたか」

「それが、だめなのです。ご期待にそえません。以前のように風景を描いてみましたが」

「これですな。なるほど、またまた一段と高い境地に到達なさいましたな。なんともいえない、ゆとりがただよっています。むかしのあなたの作品は、こういっちゃあ失礼ですが、お金をかせぎたい一心がにじみ出ていて、どうしようもなかった。しかし、それがふっ切れて、ゆうゆうたる大家の風格が出ています。いったい、どうしてこんな変化が起ったのでしょう」

「さあね。で、こんな絵でもいいんですか」

「もちろんですとも。どんどん描きつづけて下さい」

画商はそれらを持ち帰った。またも好評のうちに売れてしまった。

その画家は、つぎつぎに作風のはばをひろげていった。べつに努力をしてそうなったのではない。なにを描いたものか迷い、室内を歩きまわっているうちに、目はつい例の包みにいってしまうのだ。

そして、中身はなんだろうと考え、あれこれ想像しているうちに、ひとつのイメージに発展し、作品となる。

もしかしたら妖精《ようせい》でも入っているんじゃないかと考えたこともあった。そういえば、あの青年、どこか人間ばなれしたようなところもあった。絵の売れないのをあわれんで、わたしにそれをあずけたのかもしれない。だから、あれ以来、絵が売れるようになった。当分、取りに来ないでくれるといいが……。

などと考えると、どんな妖精だろうと想像はひろまり、幻想的な絵ができあがるのだった。すべてを明るい夢に変えてしまう、かわいらしい妖精。童画風な絵が何枚も完成した。画商は目を丸くして驚き、なかばあきれながら、それを持ってゆく。

いやいや、あの包みの中身は、妖精なんてなまやさしいものじゃなく、死神かもしれない。あの青年、やってきた死神をうまくだまして、あのなかに封じこめた。取りに来ないのは、そのためだ。包みをあけたとたん、それはこっちにとりつく。なかを調べようとし、そんな目に会わなくてよかった。仕掛けのある爆弾のようなものではないか。そもそも、好奇心こそ身をほろぼすもとなのだ。

いや、あの青年が死神を封じこめたのかどうか、そこは断言できないかもしれない。だれか他人から、あの包みを押しつけられた。中身の見当はつかない。あけようかどうしようか、そういった自分の好奇心との戦いにたえられなくなり、あるいは死神ではないかと察して、ここへ置いていったのだ。

青年が取りに来ないのは、包みのあけられるのを待っているのだ。わたしがあけてみる。その結果、死神でなく、もっといいものだとわかったところへ取りに来る。ありうることだ。まったく、油断もすきもない世の中だからな。

それにしても、死神がいるとなると、どんな顔つきだろう。こんなだろうか。画家は思いつくままを絵にする。いやいや、死神とは案外、楽しげに笑っているのかもしれない。そんなふうにして、何枚かが仕上った。いずれも表情はちがうが、だれが見ても死神とわかる。若い女性の死神もあった。画商は驚嘆し、それらもまた非常な好評で売れてしまった。

このようにして年月がたち、画家はとしをとっていった。それとともに名声もあがった。知らない人のほうが少ない。ああ、あの五十歳をすぎてから描きはじめ、たえず新しい分野に挑戦しつづけている画家かと。しかし、現実はそんな意欲的なものではなかった。包みの中身が気になってならないだけのことなのだ。

こんなふうに考えてみることもあった。あの青年は産業スパイで、みごと盗み出したはいいが、追いつめられて逃げ場がなくなり、ここにあずけざるをえなかったのかもしれない。

あの中身は、なにか画期的な新製品の試作品とその設計図なのかもしれない。たとえば、そう、騒音をまったく消してしまう装置といった……。

それが製造され、普及したらどうなるだろう。画家はそんな空想にひたりながら、何枚かの絵を描いた。

画商のすすめで個展を開く。それらの絵は、どれもなんの音も感じさせない。ふしぎな静寂として評判になったのがそれだったのだ。

画家は七十歳になり、七十五歳になった。絵を描きつづけている。つまり、あの青年が依然として包みを取りにあらわれないのだ。

騒音防止器なんかじゃなくて、新しい楽器かもしれない。そう想像が動きはじめると、画面にメロディーのただよう新鮮な絵が何枚もできてしまう。

プリズムのようなものかもしれない。人口を減少させる薬の製法を記した書類だろうか。世に希望をもたらす救世主だろうか。その反対の悪魔だろうか。いや、なにか怪奇的な宗教の秘宝かもしれない。未知の中身への好奇心はおとろえることなく、彼がなにか想像を発展させれば、それが作品になる。

ずっと置かれたままの包みは、いまや彼にとってイマジネーション・マシンといえた。作品を創造する源泉だった。こうなったら、いつまでも取りに来ないほうがいい。その一方、中身を知りたいという興味も弱まることはなかった。いつか、あの青年が取りに来るかもしれない。その日を夢みて、彼は描きつづけるのだった。

八十歳になり、八十五歳になる。画家はまだ想像しつづけ、仕事をしつづけている。

そうだ、考えたこともなかったが、中身はからっぽなのかもしれない。包みのなかは容器で、そのなかにはなにもないのだ。すると、無を感じさせる抽象的な絵が何枚もできた。あるいは、宇宙の構成図という、どえらいしろものかもしれない。そう想像すると、これまでだれも描かなかったようなタイプの絵となるのだった。

さらに年月がたち、ついにその画家の寿命がつきる時がきた。やすらかな死だったという。あすを見つめているような死顔だったという。あすとは、あの青年が包みを取りに来て、中身の判明する日のことなのだ。どのマスコミも大きくとりあげ、その死を惜しみ、すぐれた業績をたたえた。こんな画家ははじめてだと。事実、そうだったのだ。

それののった新聞を見て、つぶやいた男がいた。

「あ、あの人か。ずっとむかし、包みをあずけたことがあったな。そのうち取りに行こうと思いながら、ついつい行きそびれているうちに、有名になってしまった。こうなると、ますます行きにくい。どうせ捨ててしまって、ぼくのことなど忘れてしまっただろう。そこを訪問し、相手をいやな気分にさせては悪いしな。なにしろ、偉大な画家になってしまったのだ。こっちみたいな、名もない人間に出現されては迷惑にきまっている。で、そのままになっていた。まあ、いいさ、ぼくにとっては、べつにどうってこともない品なんだから……」

密会

ここは豪華なマンションの一室。場所もよく、部屋かずも多く、住み心地もよく、なにもかもすばらしかった。それだけに、かなりの費用を必要としたことはいうまでもない。

男とその妻とが暮していた。まだ子供はなく、雑然とした感じはまったくない。男はある会社につとめており、スタイルもよく、なかなかのハンサムだった。女はふとりぎみで、とくに美人とはいえなかった。似合いの夫婦とはいいにくい。

なんでこんな組合せがうまれたかというと、そもそも、彼女は会社を経営する資産家の娘だったのだ。一方、男は経済的にあまり恵まれていなかった。この結婚によって、女はハンサムな男性を夫として手に入れ、男は彼女の父の会社での地位と、このような余裕のある生活とを手にすることができたのだ。そして、おたがい、そのことに満足していた。だから、はたでとやかく言うことはない。

彼女は妻として男につくし、彼もいちおう仕事にはげみ、浮気することもなかった。へたをして、いまの生活を失いたくなかったのだ。そんな均衡のなかで、平穏な日々がすぎてゆく。

そして、いまは夜。二人はベッドの上で眠っていた。部屋のすみで小さい照明がぼんやり光っているだけで、あたりはほとんどまっくら。

男はある声によって目ざめさせられた。

「ねえ、ちょっと……」

「なんだ……」

眠そうな声で、男は目をつぶったまま答えた。しばらくして、また声がした。

「ねえ、ちょっと、お話ししましょうよ」

それを聞いて、男はふしぎな気分になった。妻の声とはちがうようだ。彼はまだ夢のなかにいるのではないかと思った。きっと、これは夢のなかなのだ。

そう、あの声は、たしか玲子の声だ。かつて彼と恋愛関係にあった女性。周囲からは、やがてはいっしょになるのではないかと見られていたが、そこへいまの妻が出現した。彼は身勝手と知りつつも、経済的に有利な人生を選び、玲子とは別れてしまったのだ。

あの時は、玲子もぼくに対していやな感情をいだいただろうな。うらまれたとしても当然なのだ。あれから、もう三年ちかくたった。いま、どうしているだろうか。そういえば、ずっと会っていないな。もし、ぼくが玲子と結婚していたら、どうなっていただろう。こんな生活はできなかったろうな。しかし、そのかわり……。

なにかべつな、思いがけない楽しいことがあったかもしれない。たとえば、自由きままに二人で外国を旅してまわるといったふうに。この空想は悪くないぞ。男は夢のなかでそれを味わおうとした。

その時、またも声がした。

「お起きにならない……」

それによって、男は現実の世界にひきもどされた。さっきから、しきりに話しかけられているようだ。たしかめてみることにしよう。妻がねごとを言っているのかもしれない。そして、こっちの気のせいで、それが玲子の声に思えてしまうのかもしれない。

男は手をのばし、スイッチを入れた。ベッドのそばのスタンドが、やわらかい光をあたりにひろげた。妻の寝顔がそこにあった。しばらく見つめていたが、彼女の口は動かず、やすらかな呼吸がくりかえされるばかりで、なんの声も出てこなかった。

「幻聴だったのかな……」

と男はつぶやく。このマンションは防犯装置が万全で、外部からだれかが侵入するなど、考えられないことだった。まして、女性が忍び込み、やさしく話しかけることなんて、ありえない。なにげなく時計をのぞくと、午前一時半。彼はスイッチを押し、暗くなったなかで目をつぶる。

それを待っていたかのように、またもさっきの声がした。

「やっぱり、暗いなかでのほうがいいわね」

「あ、また幻聴だ……」

「幻聴なんかじゃないわよ」

「どういうことなのだ。ねごとか」

なぜ妻が暗いなかでいつもの声を変えてねごとを言うのか、男は解説をつけかね、ぶきみなものを感じた。悪夢にうなされているのだろうか。答えがかえってきた。

「そんなようなものね」

あまりねごとの話し相手になってはいけないということを、男はなにかで読んで知っていた。しかし、聞かずにはいられなかった。

「どうしたんだ。いつものおまえの声じゃないぞ」

「そりゃあ、そうよ。あたし、あなたの奥さまじゃないもの」

「え、妻じゃないって。じゃあ、いったいだれなんだい」

「もう、おわかりでしょ。それとも、お忘れになってしまったの」

「すると、玲子か……」

男は声をひそめて聞いた。かつての恋人の名を妻のそばで口にするのだ。しかし、暗やみのなかの相手は、いままでと同じ口調で言った。

「ほら、ちゃんと思い出した」

「いったい、これは、どういうことなんだ」

男はさっきと同じ言葉をつぶやいた。眠りからさめたてでもあり、異様としかいいようのないできごとである、なにが起っているのか、脳細胞は思うように働いてくれなかった。

「お耳になさったでしょう。つまり、そういうことなのよ。ちょっとお話しするぐらい、いいでしょ」

と女の声。すなわち玲子の声だった。男は反射的に、うろたえながらしゃべりはじめた。

「な、なんだかしらないが、とにかく困るよ。ぼくは結婚しているんだ。そりゃあ、きみには悪いことをしたと思っているよ。しかし、別れるについては、そのころのぼくとして、できるだけの品をプレゼントしたし、きみもわかってくれたじゃないか。こんなとこでむかしのことを持ち出したりして、結婚生活をじゃましないでくれ」

「でも、これなら、結婚のじゃまにはならないでしょ。眠っている奥さまの口を借りてのおしゃべりなら……」

「そんなことって……」

頭のてっぺんから、つめたいものが男のからだを、足のほうへと通り抜けていった。これは霊魂のせいにちがいない。なんということだ。玲子が死に、その亡霊が妻にのりうつるなんて。男はふるえながら、しぼり出すような声で言った。

「……た、助けてくれ。迷わず成仏してくれ」

すると、やみのなかから、明るい玲子の声がかえってきた。

「あら、早がってんしないでよ。あたし、まだ死んじゃいないわ」

「しかし、普通じゃ、こんなことの起るわけがない」

「そう言われれば、突然だったので、あなたを驚かしちゃったかもしれないわね。その点はあやまるわ」

「なにが、どうなってるんだ」

「まあ、いいじゃないの、そんなこと。いま、あたし玲子が、あなたとお話ししている。この現実をみとめてちょうだいよ。おたがいに、楽しかったあのころの思い出話でもしましょうよ」

「しかし、そばに妻がいるんだ。きみのことを知られたら、ことだよ。ひとさわぎになる。気が進まないな」

「その点は大丈夫よ。つまり、これは形としては一種のねごとなのよ。奥さまがお目ざめになれば、あたしはいなくなる。だから、聞かれることって、ありえないわけよ」

「じゃあ、妻を起してみるかな」

「およしなさいよ。せっかく、あたしたち、こうやってお話しができるようになったのに」

「しかし、頭が混乱して、会話を楽しむどころじゃないよ。急にこんなことが起って……」

「それもそうね。それじゃあ、きょうはこれぐらいにしときましょうか。また日をあらためて、あらわれることにするわ」

玲子の声はしなくなった。男はふたたびスタンドのあかりをつけた。さっきと同じく、そこには妻の寝顔があった。そして、声のしていたあたりが口に相当していた。

男はあらためて、ぞくっとした。さっきの会話を思い出してみる。玲子は、あたしは死んでいないと言っていた。本当にそうなのだろうか。死んで霊魂になったのに、自分で気がついていないのではなかろうか。それとも、生き霊とかいうやつかな。ある人への思いがつのって、その結果として他人に乗り移るとかいう現象の。

男はベッドからおり、キッチンへ行って冷蔵庫から氷を出してグラスに入れ、ウイスキーをそそぎ、勢いよく飲んだ。だが、まだ気分は静まらない。彼は睡眠薬を口に入れ、さらにウイスキーを重ねた。

そんな物音を聞きつけ、妻が目をさまして声をかけた。

「あなた、どうなさったの」

「いや、妙な夢を見ちゃったんでね。よく眠りなおすために酒を飲みに立ったのさ」

「そうだったの……」

妻はなっとくし、ベッドに戻った男もやがて眠りについた。

つぎの朝。食事の時に男は妻に言った。

「変なことを聞くようだけど、ねごとを言う癖があるなんて、言われたことあるかい」

「ないわよ。あたしがねごとを言ったり、ねぼけたりしたなんて、両親から聞いたことないわ。修学旅行や女友だちとの旅なんかで、ほかの人たちと同じ部屋で眠ったこともあるけど、そんな注意をされたことはないわ。でも、そういうのは、自身じゃわからないものでしょ。あなたに聞いたほうがいいんじゃないかしら。あたしのねごとを聞いたこと、ある……」

「ないね。しかし、昨夜はだれかに話しかけられたような気がして、目がさめたんだ。ぼくになにか言った記憶はあるかい」

「ないわ。だけど、そういえば、あなたがキッチンのほうにいるんで、声をかけたかも……」

「その前さ」

「なんにもおぼえていないわ」

「すると、やはりねごとかな」

「あたし、どんなこと言ってたの」

「たいしたことじゃないよ。ちょっとお話ししましょうとかなんとか……」

ありのままを話すわけにはいかなかった。

「じゃあ、あたし夢でも見てたのかしら。とくに欲求不満の心当りもないし、なぜかしらね」

「医者にみてもらう気はないかい」

「あなたがお望みなら、そうしてもいいわ」

その日、男は出勤し、夕方に帰宅した。妻が迎えて言う。

「お医者にみてもらったわよ。どこも、ぜんぜん異状なしですって、気にすることはありませんて」

「そりゃあ、よかった。おたがい、気にするのはよそう」

玲子の生き霊がとりついて、妻のからだを徐々に弱まらせようということではなさそうだった。また、その夜はなんにも起らなかった。そのつぎの夜も。

しかし、それから一週間ぐらいたった夜、眠っていた男は、またあの玲子の声に起された。

「ねえ、ちょっと起きない。このあいだのつづきをお話ししましょうよ」

眠いなかで、男は言った。

「あ、また生き霊か。医者はどこにも異状はないと言ってたのに」

「生き霊とは、形容が古いわね。あたし、あなたの奥さまにとりついて、いじめ殺したりはしないから、安心してよ」

「信用してもいいのかな」

「じつはね、あたしも結婚しているの。まあ、一応は幸福よ。だから、あなたの奥さまにとって代ろうなんて気はないのよ」

「そうだったのか。じゃあ、そちらのようすでも聞くかな。そのご、どうしてるんだい」

わけはわからないが、男もこれがそう危険な事態でないらしいことは理解しかけていた。玲子の声は言う。

「あれからまもなく、あたしに結婚を申し込んできた人があったの。育ちのいい、お金持ちのむすこよ。あたし、悪くないと思って承知しちゃったの。あなたとあたし、おたがい結婚しなくてよかったみたいよ。そんなわけで、生活に不満はないし、女の子がひとりうまれたわ。いま一歳ちょっとで、一段落といったところなの」

「順調みたいだな。ご主人はどんな人なんだい」

「いまのところは、問題はないわ。まじめに仕事してるわ。このままずっと、そうみたい。つまり、いささか平凡な人間ってわけよ。亭主としてはそういうのがいいんでしょうけど、なんだか物たりない気分になる時もあるわね。ぜいたくかしらん」

「その気持ち、わからないこともないよ」

「そこで、あなたとおしゃべりしたくなったってわけ。いいでしょ。あなたの家庭を破壊することにはならないし」

「いまのところはね」

「あなたにしたって、気ばらしになるんじゃないの。いつばれるかわからない浮気とはちがうのよ。こんなふうに安全な形で奥さま以外の女性とおしゃべりできるんだから。かえって家庭の平和が長つづきするわよ。知らぬは奥さまばかりなりよ」

「そういうものかな」

「だんだんわかってきたみたいね。そのうちなれるわよ。また来るわね」

「おい、ちょっと待ってくれ」

「なんなの」

「きみは玲子であり、ここでぼくと話している。それはたしかな事実のようだ。いったい、なぜ、そんなことができるんだい」

「それはね、ひみつ……」

いくら待っても、声はそれで終りだった。電気をつけてみると、そばには眠っている妻しかいない。その口を借りて、話しかけてきたのだ。玲子のやつ、まったく妙な能力を身につけやがったな。

　それから一週間か十日おきに、玲子は夜中の声の訪問をやるようになった。

「ねえ、また来たわよ」

「あれから、元気だったかい」

　男も、もうかなりなれてきて、目をさましてすぐ話し相手になる。

「ええ、子供が熱を出して心配だったけど、もう大丈夫みたいよ。そんなことより、むかしのお話をしましょうよ。いっしょに海岸を散歩した時のことなんか……」

「そうするか。タバコを吸いながらといきたいとこだが、暗やみで煙が見えなくてはつまらんしな。といって、電気をつけて、そこに妻の顔があったりしては妙なものだしな。そうだ、酒でも飲みながらにするか」

「あんまり調子に乗らないでよ。大げさになって奥さまが目をさましたら、あたし引っこまざるをえなくなるのよ」

「そうかもしれないな。で、その、海岸を散歩した時だけどさ、封筒が落ちていたっけな」

「そうだったわね。そして、期待してなかをのぞいたら、古新聞だけ……」

暗いなかで、たあいない会話がつづいた。彼にとって、つまらないことではなかった。そのうち、玲子が言った。

「あたし、そろそろ帰るわ。ねむくなったの。もう真夜中もいいとこでしょ」

「つづきは、またにするか。しかし、そっちは大丈夫なのか」

「なんのことよ」

「ご主人のことさ。こんなことに気づかれたらどうするんだ。なんだかんだで、こっちまで巻きぞえだぜ。まわりまわって、ぼくの家庭まで被害が及ぶ……」

「ずいぶん恐妻家なのねえ。その点は注意してるわ。亭主はよく出張するの。その留守に楽しんでるんだから、心配はないの」

「そのうち、どこかで会おうか」

「だめよ。それこそ危険だわ。だれかに見られるかもしれないじゃないの。それに、あたし、子供のせわもしなくちゃならないんですもの。いまのやり方が一番なのよ」

「そういうものかもしれないな」

この密会は定期的にくりかえされるようになった。夜中に眠っている妻の口を借りて、べつな女が話し相手になってくれる。ちょっとしたスリルでもあるのだ。

「ねえ、起きてよ。お話ししましょうよ」

「久しぶりだね。ご主人の出張がしばらくなかったせいかい」

「あら、あたしをだれだと思っているの」

「なんだって……」

男はしまったと思う。玲子じゃなく、妻が目ざめて話しかけてくることだってあるのだ。うやむやな答えをする。

「……ぼく、いま、ねぼけてなにか言ったかい」

「あわてなくていいのよ。奥さんはぐっすりおやすみだから」

たしかに妻の声ではない。といって、玲子の声でもなかった。

「いったい、だれなんだい」

「声だけじゃ、わかんないのかな。あたし、みゆきよ。ほら、バー・エルフの……」

「そうか、そうだったな、その声は、突然あらわれたんで、びっくりしたぜ。しかし、なつかしいなあ」

「あなたもそう思ってくれるだろうと考えてたの」

「それにしても、なんでここへあらわれたんだい」

「久しぶりにお話ししたかったからよ。あなたって、すてきなかたですもの。ほんと、おせじじゃなくて、そう思うわ」

「そう言われれば悪くない気分だが、事情はわかっているんだろう。ぼくは、この金持ちの女性と結婚しているんだ。お手やわらかに願いたいね」

「だけど、このやり方だったら、決して奥さんに知られないですむのよ」

「それはそうらしいけど……」

「おわかりなんでしょ。さっき、どなたかとまちがえたみたいだから」

「まあね。それにしても、すっかりごぶさただな。そのうち、お店へ寄るよ。声を聞いたら、顔も見たくなってきた」

「それが、だめなのよ。あたし、お店をやめちゃったの」

「そうだったのか。で、いま、なにをしてるんだい」

「あたしを好きになった人がいて、結婚しちゃったの。バーのお仕事も楽しいけど、あたし、お酒があんまり好きじゃないの。そこで決心したっていうわけよ。主婦業って、やってみると面白いところもあるわね」

「大変な心境の変化だな。で、子供は」

「まだよ。こないだ結婚したばかりですもの」

「そのうち、どこかで会おうか」

「むりよ。うちの亭主、すごいやきもち焼きなんだから。それで、あたしこの方法であなたと話すことにしたの」

「しかし、ふしぎだなあ。どうしたら、こんな器用なことができるんだい」

「話したい相手の男性を念じるの。するとまもなく波長が合い、そばにいる奥さんのねごととなって、こういうことができるってわけよ。こつをおぼえるまで、ちょっとやっかいだけどね」

「その気になれば、できそうな話しぶりじゃないか。ぼくもやってみたいものだな」

「それはだめ。男の人にはできないの。体質のちがいかもしれないわね。女だって、だれでもできるってわけじゃないのよ。結婚している女にしかできないの」

「不公平みたいな気がするがな」

「これでいいんじゃない。独身者にこんな能力はいらないわよ。好きな時に会えるんですものね」

「いや、男にもってことさ」

「そうなったら、混乱しちゃうわよ。関係のない男女がねごとで話しあうようになったりしてさ」

「どうやってその能力を身につけたんだい」

「他人に教えちゃいけないことになっているんだったわ。じゃあ、またね」

みゆきの声はそこで終った。

かくして、男の夜は変化に富んだものとなった。しかし、いつまでも妻に気づかれずにすむものだろうか。ばれたら、追い出された上に、地位さえ失うことになるかもしれないのだ。それを考えると、不安な気分が消えなかった。また、気がとがめもする。

ある晩、男は取引先とのつきあいで、帰宅がおそくなった。マンションのドアを、カギでそっとあけて入る。妻はもう眠っているにちがいない。起しては気の毒だ。寝室のほうで、妻の声がしている。

「……というわけなのよ」

男は服をぬぎながら言う。

「いま帰ったよ」

「おかえりなさい」

「だれと話していたんだい」

「だれも、いるわけないでしょ。ひとりごとよ。あたし、ねごとの癖なんてないけど、ひとりごとはよく口にするの。あなたのお帰りがおそいんで、なんだかさびしくて…

「……」

「先に寝てればよかったのに。ぼくはシャワーをあびてからにする」

彼はシャワーをあびながら、ひとりうなずく。たぶん、こんなことじゃないかとも思っていたのだ。これで、くよくよすることもないというわけだ。妻もいま、どうせどこかの男性と話していたのだろう。

どこのどんな女かしらないが、まったく妙な能力を開発したものだ。そして、世の中、いったん開発されて方法が確立したとなると、それで利益をあげたくなるのも当然だ。教授料を取って、主婦たちにそのこつを教えたくもなるだろう。べつに、実害があるというわけでもないし……。

男は酒を飲み、ベッドのほうへ行く。妻はもう眠っているようだった。男には、そのからだが電話機に見えてしようがなかった。そばに横たわる。まさか、きょうは女からかかってはこないだろうな。しかし、こんなことが普及したら、どうなるんだろう。むかし、ちょっと好意をいだきあった女性は何人かいる。毎晩、じゃんじゃんかかってきて、寝不足になるなんてことはないのだろうか。おや、いやに眠くなってきたぞ。どうもおかしい。さっき飲んだ酒。あのなかに妻が睡眠薬でも入れておいたなんてことはないだろうか。ぼくを眠らせて、どこかの男性とゆっくり会話を楽しむ。

ありうることだ。社会のしくみというやつ、なにかがひとつ進歩すると、また一段と複雑になるものなのだ。

住む人

そのあたりはひろびろとした、樹木の多い別荘地。交通の便は必ずしもいいとはいえないが、気候は一年を通じておだやかだった。別荘の建物には豪華なのもあり、民芸風に地味なのもある。しかし、都会の住宅地とちがって、どの建物がどんな人の所有なのか、さほど気にする人もない。

そんななかにあって、林にかこまれた小さな一軒がある。それはまことに小さく、粗末で、目立ったところはまったくない。通りがかりの人が存在に気づいても、あ、家があるなと感じる程度で、それ以上の関心を持って近よってみようなどとは思わない。魅力的なところは、なんにもないのだ。雨戸はいつもしめられたまま。いったい、利用されることがあるのだろうか。つまり、それはそんなしろものなのだった。

しかし、そのなかでは、ひとりの老人が生活していた。

朝、老人はベッドの上で目をさます。起きあがり、黒いカーテンを引くと、雨戸のすきま、雨戸の上の横に細長いすりガラスの窓の部分から、かすかに光がさしこんでくる。これが彼にとっての朝なのだ。

そとはいい天気らしい。雨戸をあけてたっぷりと日光をあびてみたいと思うが、それはできないのだ。そとへ出て、空、植物、山々などを眺めてみたいが、それらも許されないのだ。といって、外側から鍵《かぎ》がかけられてとじこめられているわけではない。しかし、やってはならないことなのだ。

この家のなかで、目立って大きなものがある。ひとつは冷蔵庫、ひとつはテレビだ。老人はテレビをつける。画面ではさまざまな人物が動いている。しかし、音声は出ない。老人はいまいましげにつぶやく。

「三日ほど前に、イヤホーンがこわれてしまって……」

どうしようもない。しばらくして、老人はスイッチを切る。

することがないまま、老人は手動式のバリカンでひげを刈る。電気カミソリは音が出るので使うわけにはいかないのだ。ひげなど、どうでもいいことだが、日課みたいになってしまっている。それに、ほかにすることもないのだ。適当にやって、鏡をのぞきこむ。

「まあ、こんなものか」

老人といっても、年齢は七十歳ちょっと。自分では、ふけこんだ顔つきとは思っていない。しかし、もはや社会生活ができないという点で、老人であることはまちがいなかった。

それから老人は、大型の冷蔵庫をあける。そのなかには、さまざまな冷凍食品がつまっている。なにかひとつを選んで、電子レンジに入れれば、たちまち一食分ができあがる。

「とにかく、便利なものだ。冷凍食品の進歩のおかげで、わしもこうして食事の不自由はしなくてすむというわけだ」

食べ終ると、ごみ処理機のなかにほうりこむ。食べ残しも容器も粉砕し、乾燥させ、小さな四角い塊にしてしまう。かすかな音は立てるが、そとまでは聞こえない。

食後、老人はそばの箱をあける。なかにはさまざまな薬が入っている。そのなかのいくつかを口に入れる。栄養のバランスの崩れる心配はないのだ。薬のなかには、大量に飲めば危険な睡眠薬もある。

「それをやれば、こんな生活を終らせることはできる。わかっているのだが、どうもその決心がつかない。生命への執着というものは、こうも強いものか。われながら、ふしぎでならん」

血圧測定器、尿の検査セットもある。それらも使ってみる。なにしろ、時間はたっぷりある。いつもと同じく、年齢に相応の結果だった。つまり、これといって悪いところはないのだ。

「まだまだ、長生きするってわけか」

老人は床のじゅうたんの上にねそべり、金属製の笠《かさ》の電気スタンドをつけ、さして明るくないその光で、一か月前の新聞を読む。それにあきると、古い雑誌を手にする。ほかにすることは、なんにもないのだ。時間はゆっくりとしか流れていかない。

きょうは、とくに時のたつのがおそい。老人にとって、月に一度の唯一の来客のある日なのだ。楽しい来客というわけではない。しかし、こんな生活をしていて、話し相手は、なににもまさる貴重なものなのだ。

「ひとつ、湯にでも入っておくか」

温泉つきであることに、感謝すべきなのかもしれない。どうしようもなく時間を持てあますと、そのたびに湯に入る。なぜか思考は中断され、いらいらがおさまる。また、しばしば入浴しているためか、下着もシャツもあまりよごれない。

あがってから、ビールを飲む。少し酔い、やがてむなしくさめてゆく。少し空腹を感じ、またも電子レンジで食事を作り、口にする。味を楽しもうとするが、冷凍食品ではそうもいかない。

それでも少しずつ時がたち、夕ぐれとなる。そろそろ来てもいいころだ。時には、なにかのつごうで、一日、あるいは二日おくれることもある。しかし、たぶん、きょうは来てくれるだろう。

やがて、少し離れて車のとまる音。つづいて、人の足音が近づいてくる。老人の顔には、表情がよみがえった。ドアに鍵の音がして、ひとりの男が入ってきた。うす暗いなかで、男はあいさつをする。

「先生、お元気ですか」

「ああ、来てくれたのだな。まったく、月に一回のきみとの会話がなかったら、わしの頭はおかしくなってしまうだろうな」

「わたしは必ずまいりますよ。いままでもそうでしたし、これからもそういたします。わたしの今日あるのは、いや、世の中がなんとかうまくいっているのは、すべて先生のおかげなのですから。それを知っているわたしとしては、参上しないわけにはいきません」

「そういうことだな」

老人は自分に言いきかせるようにつぶやく。来客の五十歳ちょっとの男は、いまではあいさつにつづく言葉となっているきまり文句を口にする。

「奥さまはお元気でございます。ご子息さまのご活躍ぶりは、テレビでご存知のとおりでございます」

「そうだ。そのテレビだが、イヤホーンのぐあいが悪くなった。ぜんぜん聞こえない。音声部分のスイッチを入れたくなるよ」

「そ、それはいけません。さぞご退屈でしたでしょう。車を走らせて、さっそく買ってまいります……」

男は出てゆき、一時間ぐらいして戻ってきた。

「……やっている店があって、助かりました。予備として、イヤホーンを二つ買ってきました。それに、故障した場合にそなえて、小型テレビの一台も。これで、そのご心配はなくなりましょう。どうも、気がきかなくて、申しわけございません。当然、起りうることでした」

「まあ、いいさ」

「気になってまいりました。となると、冷蔵庫や電子レンジについても考えなければなりません。つぎにうかがう時には、小型の冷蔵庫も……」

「そのほうがいいかもしれないな。しかし、ラジオはどうでもいいよ。あれは、なかなかこわれないもののようだ。かりに聞こえなくなっても、いのちには関係ない」

「では、冷凍食品の補充をいたします。ごみを回収いたします。下着とシャツを買ってまいりました。掃除機でそのへんをきれいにしましょう。いまはわたしが来ているのです。音がしても、どうってことはない。もっとも、だれか来たら、すぐかくれていただきますが。これが一か月の新聞でございます。雑誌も何冊かお持ちしました……」

男はなすべきことを、つぎつぎに片づけた。これで、老人はあと一か月ほど、生活してゆけるのだ。一段落すると、男はつづけた。

「……あとで新聞をゆっくりお読み下さい。先生の主張なさった、協調精神による社会改革は、ますます順調に進展しております。とくに、重点主義による福祉計画の面では、めざましい成果があがり、大衆はだれもが満足感を持っております」

「そうか。けっこうなことだ。こうなったのも、二年前のあの日……」

と老人はうなずく。会うたびにかわされる例の話となってゆく。わざわざ話題にしなくても忘れられない事件なのだが、口に出してたしかめあうのが習慣になってしまったのだ。来客の中年の男は言う。

「先生が政界で実力をたくわえられ、機は熟したと判断され、新しい画期的な方針を発表なさった。それに対する賛否両論、大変な反響でございましたね」

「ああ、きのうのことのように思い出すな。なにもかも活気にあふれていた」

「マスコミ関係の会見がひとわたりすむと、こんどは各地からの講演の依頼がつぎつぎとあった。それらを、いくつもこなしてきましたね。反対派の妨害さわぎもひどかったけれど」

「そして、十三回目の講演会の時だ。われわれは、ある地方都市に出かけて、ホテルに宿泊した。ひと晩ぐっすり眠って、休養をとり、翌日の講演にそなえるため……」

「その時でした。先生はとつぜん高熱を出された。あれにはわたしも、あわてましたよ」

　男は、いま思い出してもといった口調になった。老人は言う。

「あれはけっきょく、ただのかぜだったようだな」

「でしょうね。そのご、健康的にどうということもないのですから」

「つぎの日の講演をどうしたものか、あれほど困ったことはない。病気のため中止でもいいのだが、場合が場合だ。すべてが調子よく進みはじめていた。水をかけるようなことは、少しでもあってはならない。しかし、さすがはきみだ」

「いいえ、長いあいだ秘書という仕事をしていますと、さまざまな事態を、いつも想定しているようになるものです」

「それにしても、きみがあいつを飛行機の最終の便で呼び寄せ、なんとか仕上げた手ぎわはすばらしい。ホテルのベッドのそばに出現させた時には、びっくりしたよ。わしは、高熱のための幻覚かとさえ思った。なにしろ、自分そっくりの人間を見たんだからな。よく、あんなことができたものだ」

「バーで知りあったのをきっかけに、いずれなにか役に立つだろうと、時たま食事や酒をおごったり、金を貸したりして手なずけておいたのです。しかし、当人は知らなかったでしょうな。なぜ自分がこう優遇されるのかを。あいつはひげをはやしているし、十歳ぐらい若いので髪の毛も多く、ヘアスタイルもちがう。それに眼鏡をかけている。先生と似ているなど、だれにも言われたことがなかったようです。会話にぜんぜん出てきませんでした」

「きみのメーキャップの腕は、なかなかのものだな」

「若かったころ、演劇をやってたことがありましたからね。また、会うたびに頭のなかで考えていましたものね。こいつのひげをそり、眼鏡をとり、髪の毛を薄くし、スタイルを変え、まゆ毛の形を変え、ちょっとホクロをつければなどとね。ですから、ものはためしとやってみるのに、そう手間はかかりませんでした。しかし、できあがってみると、われながら傑作と思いましたよ」

「そうだろうな」

老人はうなずき、男はつづける。

「先生の講演はテープにとってある。それをポケットにしのばせ、あいつは口をぱくぱくやるだけでいい。こつをおぼえさせるのに、徹夜までしないですみました。そして、いよいよ、当日の午後。わたしはあいつと会場へ。控え室では、先生はかぜぎみですと、いちおう面会謝絶。会場のようすを見て、演壇をうしろのほうへずらさせました。少しでも客席との距離を大きくし、替え玉とばれないようにとね」

「それがよかったともいえるな」

「わたしは、はじまってから、はらはらしつづけでしたよ。百パーセントうまくゆく自信はありませんでしたからね。しかし、はじまって五分後、あんな形でその心配が終るとは……」

「見ていて、さぞ、すごかっただろうな。まさか、演壇に時限爆弾がしかけてあったとは……」

「その瞬間は、なにがなんだかわかりませんでしたよ。とつぜんの音と、目もくらむような炎でしたからね。あんなにすごいものがあるなど、考えたこともなかった。どこかの国で開発されたものでしょう。爆発だけでなく、可燃性の粘液が散り、それに火がついたのですから。火だるまとは、まさに、あのことです。木製の演壇は、ほとんど燃えてしまいましたしね」

二人の話は、いつもここで熱がこもる。

「会場も混乱したろう」

「いくらかはね。演壇をうしろに移しておいたのがよかったのです。火のほうへ進もうとする人はなく、出口に近い席から順次に逃げ出したのですから。とくに重傷者はありませんでした。混乱は、わたしのほうですよ。どう収拾したものか。まず、その問題です。人びとの前で、先生が爆死したわけですからね」

「きみがホテルの部屋へ飛びこんできた時の顔は、どう形容したらいいのか……」

「わたしの報告で、先生はすぐに判断を下された。死んだことにしようと」

「替え玉を使っていたとなっては、わしの信用はゼロとなり、人格を疑われ、反対派はさわぎ、二度と人前で主張ができなくなる。そのことがまず頭に浮かんだわけだよ」

「わたしはさっそく、帽子とサングラスで先生を変装させ、ひそかにホテルからそとへお連れした。まだ熱がおありでしたのに、よくやっていただけました。もうひとりだれかがいればと思いましたが、いなかったために秘密が完全に保たれたともいえますね」

「ひとまず、きみの別荘へたどりついた時には、ほっとしたよ」

「わたしの人生において、あんなに緊張し、注意ぶかく動きまわったことは、もう二度とないでしょう。先生の死のニュースが、あっというまに全国に伝わってしまったのですから。なにしろ、いちばんむずかしかったのは、奥さまとご子息の前で、さも本当らしくふるまうことでした。しかし、ご子息がマスコミの人たちに、すぐにも父の遺志をついで政治活動をやるとお話しになった。そのため、なにもかも多忙のうちにすぎてしまいました」

「そのころの新聞は、とってあるよ……」

老人は切抜きをはったスクラップ・ブックのページをめくった。死を報じた大きな見出し、同情、惜しい人材、これからという時、過激な手段への非難、遺志をつぐ子息への支持。それらが書きたてられるなかで、支持者が勢力をふやし、反対派の声は薄れていった。

「……なにもかも、わしが夢見ていた方向へと進展したのだ。わし自身の手で、それをやりたかった」

どうかです」

「しかしですよ、壇上での爆死という劇的なことがなかったら、こううまくいったか

「それは、たしかだ。あの事件のおかげで、すべてがうまくいったのだ。ところで、気の毒な目に会って死んだ、あの男のことだが……」

「いまだに、正体不明です。だれにも行先を告げずに出かけてきてくれたのでしょう。捜索願いは出ているかもしれませんが、まさかあそこで死んだとは、だれも思わない」

「もし、かりにだ、あの事件が起らなかったら、あいつの口どめはどうするつもりだった」

「しばらく、海外旅行をさせようかと考えてました。何か月かたてば、あの時の講演はおれがやったなどと言っても、だれも信用しないでしょう。あいつがあの地方都市へ行った証拠はなにもなく、先生が現実に出かけていたことは、たしかなのですから。それに、あいつはアル中ぎみだったのです」

「その件については、大丈夫というわけか」

「なにもかもでございますよ」

男は保証した。老人は言う。

「どうだろう。すべてがぶじにおさまったのだし、妻子と会うわけにはいかないだろうか」

「とんでもありません。何回もお話ししたではありませんか。先生は、なくなられたのです。そんなことをして、もし、ことが発覚したりしたら、なにもかもぶちこわしです」

「やはり、いかんかな。会うのがだめとしても、ここに電話をひいて、それで話をするというのは……」

「それもいけません。生存なさっていると知ると、どことなく態度が変ります。当然、墓参などもおろそかになる。奥さまも、ご子息も、お会いになりたがる。どこに監視の目が光っているかわかりません。わたしがここへやってくるのさえ、注意に注意を重ねているのでございますよ」

「どんなふうにかね」

「鳥の鳴き声の録音が趣味ということにしてあるのです。マスコミの連中も、それまでつきあって、あれこれ取材しようとはいたしません。無意味だし楽しみの妨害ですからね。また、買い物だって油断はできませんよ。かつて先生の秘書をしており、いまはご子息の相談相手ということで、いくらか顔も知られるようになったのです。車を走らせる時も、だれかにつけられていてはと、気が気じゃありません。このさきにわたしの別荘があるので、まあ怪しまれずにすんでいますがね……」

男は苦心談をしゃべり、老人は言った。

「それにしても、あれから二年たったのだ。少しは外出してもかまわないんじゃないかな。ひげをのばし、サングラスをかければ。ずっと、とじこもりつづけなんだぜ」

「しかし、ねえ、万一ってことがありますからね。なにかのきっかけで、先生の存在が知れわたったりしては困るんです。交通事故にあう、つまらん事件を目撃する。そんなことで身もとをたずねられるようなことになったら、一大事なのです」

「整形手術もずいぶん進歩したそうだが」

「いまの段階では、秘密を知っているのは、先生とわたしの二人だけなのです。先生はしゃべりっこない。わたしもです。人数をそれ以上にふやしたくないんですよ。医師には患者の秘密を守る義務があるといっても、信用できたものじゃない。それに、看護婦だって加わる。これは内輪の話だがと、しゃべられてごらんなさい。うわさだけで、もうわたしは身動きできなくなります。先生はうえ死にですよ。整形のあと、その医者を殺す覚悟でやらなければだめです。しかし、それは発覚の可能性をふやすことになります」

「そうかもしれないな。となると、わしは一生、ここでのこんな生活か」

顔をしかめる老人に、男は言う。

「そのうち、なんとかいたします。じつは、もう少しましな住居を設計させています。ここはまにあわせですから、なにかとご不満も多いでしょう。天井に明り取りを充分にとりつけたもの。そして、地下室を充実させます。冷暖房を完備させ、太陽灯もあれば、ステレオもおく。完全防音にしますから、イヤホーンなしでテレビを視聴できます……」

「もう少し便利になるとは、ありがたいな。早くたのむよ」

「しかし、わたしが作ったのでは、なんのためにと、ふしぎがられます。だれかに作らせ、二、三人の手をへてからという方針でやらねばなりません。用心に越したことはないのです。もうしばらく、お待ち下さい」

「それにしても、こんな余生をおくるようになるとはね」

ため息をつく老人に、男はこう言った。

「そこは、考え方でございますよ。先生はすでに、名声と栄光を手になさった。大げさかもしれませんが、歴史に名をとどめたのです。なにかで先生のお名前の出る時は、いつも同情的な形容詞がつき、けなす場合はない。そして、ご自分の理想図の実現を、テレビや新聞でごらんになっていらっしゃる。生きてですよ。こんなことのできた人は、ほかにいますか。すばらしいことではありませんか。それとも、あの時、爆死なさっていたほうがよかったとでも……」

「それはそうだがね」

「いまの社会の状態に対して、なにかご指示はございませんか。こうすべきだとか。ご子息はじめ、いろいろな人に、よく聞かれるのですよ。こんな時、もし先生が存命だったら、どう処理をなさっただろうと」

「そうだな、できれば……」

老人はあれこれ意見をのべた。この時は、自分がまだ社会的に活躍しているような気分になり、元気づくのだった。

「わかりました。そうなるよう、それとなく努力いたしましょう。先生は栄光につつまれながら、現実に社会を動かしておいでなのです。こんな人はほかに……」

男は腕時計をのぞきこんだ。

「……さて、わたしもそろそろ、おいとましなければ。別荘のほうに電話でも入っていて、おそすぎると変に思われてしまいますから。それに、途中でごみも捨てなければなりません。この次に参上する時には、なにをお持ちいたしましょう。ビデオ装置

などはいかがでしょう。別荘地では、自動振込みにしておけば、電気をどう使っているのかなど問題にされません」

「退屈しのぎになるものなら、なんでもいいよ。碁盤と詰め碁の本があるといいが」

「それはどうですかね。けっこう音が響くんじゃありませんか。それに、強くなってどうなさるんです」

「そんな機会は、ありえないというわけか」

「はい。では、また」

「妻子によろしくとの伝言もできないのだからな」

「くれぐれも、お元気で……」

男は帰っていった。老人はドアの鍵《かぎ》をたしかめる。車の音が遠ざかっていった。ふたたび、音と光をもらさないよう注意する、退屈きわまるひとりの生活となる。老人はつぶやく。

「くそ。あいつめ。あの、替え玉の爆死事件。もしかしたら、あらかじめ、あいつのしくんだ計画だったのじゃないのか。演劇をやってたこともあるとか。なにもかも、うまくことがはこびすぎた感じもする……」

しかし、それは立証のしようもないのだ。それに、計画的だったとしたら、こっちまで共犯になってしまう。

ここを出て、なにもかもぶちまけるか。そんな衝動にかられることもある。しかし、そんなことをしたら、むすこが窮地に立ち、せっかく進展していることがめちゃめちゃになり、自分自身、なにひとついいことがないのだ。

老人は温泉に入り、それからビールを飲む。なにもかも暗いなかでだ。これから、ずっとこんな日々がつづくのだ。いまいましいことに、やつの健康と無事とを祈らねばならない。あいつが来なくなったら、どうすればいいのだ。自分でも健康に注意しなければならない。病気になっても、医師にもかかれない。あまり苦しい最期でないよう願いたいものだ。そして、だれも葬式をしてくれない。いったい、なんということだ。

「こんな立場は、どう表現すればいいのだろう。名誉ある無期刑の囚人か。生きている幽霊か。動けない永遠の逃亡者。それとも、おそすぎる埋葬……」

はやる店

その青年は小さな喫茶店を経営していた。会社づとめのような仕事がきらいで、こんな商売をやっているのだった。あれこれさしずされるより、お客におあいそを言うほうが性に合っていた。

しかし、とくにもうかっている状態でもなかった。それでも転業を考えないのは、まあまあ、なんとか暮していけるからだった。マンションの部屋代を払い、妻と二人、生活してゆくだけのことはできた。

午前中は妻が店をやり、青年は昼ごろに出かけて交代し、夜まで仕事をする。人件費を払う必要のない点が気楽だった。

夜、店をしめての帰り道、暗がりで三人組の男にとりかこまれた。

「いいか、声を立てるな。持っている金を出してもらおう。痛い目にあわせてから奪ってもいいのだが、できれば荒っぽいことはしたくない」

どうやら凶器を持っているらしい。

「ま、まってくれ」

青年はふるえ声で答えた。ポケットのなかには、きょうの売り上げ金が入っている。それをとられたら、えらいことになる。こんな場合にそなえての貯金など、ぜんぜんしていなかったのだ。

逃げるか。それもむりのようだった。抵抗するか。三人が相手では、うまくいきそうもない。なんとか金を出さずにすむ方法はないものか。相手のひとりが言った。

「すなおじゃないな。おい、よくつかまえておけ」

両側から腕をねじあげられ、口にはハンケチが押しこまれた。そして、げんこつが腹部に強烈に命中……。

そこで目がさめた。青年はひと息ついてつぶやいた。

「やれやれ、夢だったわけか。それにしても、売り上げ金を持ち帰るのは、たしかに不用心だ。店の戸締りを厳重にし、かくし金庫の丈夫なやつをとりつけ、そのなかにしまったほうが賢明かもしれない」

つぎの日の夜。青年は自宅のマンションのベランダに立っていた。ここは十階。はるか下を走る車の光を見るのが好きで、一種の習慣のようなものになっていた。

道のすいているのをいいことに、一台の車がかなりのスピードで走ってきて、追突しかけて急ブレーキをかけ、鋭い音をひびかせた。

青年は思わず身を乗り出す。そのとたん、からだの重心が手すりを越えた。つまり、外側へと落ちたのだ。しかし、反射的ににぎった手は、鉄製の手すりの下部をつかんでいた。よじのぼろうと力をこめたが、学生時代ならいざしらず、腕の筋肉も弱っている。ふとりぎみということもあり、落ちないだけがやっとだった。

「助けてくれ」

大声を出したが、応答はない。妻は寝つきがよく、耳に入らないのだろう。叫びはむなしく、コンクリートの壁面に反響するだけ。地上にもとどかない。昼間だったら、あるいは気づいてくれる人があるかもしれないが、こんな時間では、だれの目にもふれないだろう。

下を見る。青年は自分のおかれている事態をあらためて知らされ、ぞっとした。落ちたら助かるわけがない。下の階のベランダに移ることも不可能だった。

上へはあがれない。助けもきそうにない。死にたくないの一念で、青年はぶらさがりつづけた。もちろん、何回も声をはりあげたが、効果はなかった。しだいに、手が

しびれてくる。足をばたつかせたが、なんの役にもたたない。

手の感覚がなくなった。一瞬、気が遠くなる。そして、青年は落下しつつある自分に気づく。

「わあ……」

そこで青年は目がさめた。ベッドから、ころがり落ちていた。妻が話しかけた。

「どうしたのよ。眠りながらあばれて、うなされながら落ちたのよ。悪い夢でも見たんじゃないの」

「ああ、そうなんだ。しかし、それでいいんだ……」


一週間ほど前、常連のお客のひとりが、青年にこう話しかけた。

「わたしがこの店を利用しはじめてから、けっこう日がたつが、いっこうにぱっとしないな。満員になったことなど、ぜんぜんない」

「申しわけありません。しかし、こういう商売は、お客さまに入っていただかないことには、どうしようもありませんからね」

「コーヒーの味が悪いわけではない。サービスがゆきとどかぬということもない。場所がとくに悪いとも思えない」

「せいいっぱいやってるつもりなんですが、だめなんです。どうしたものでしょう」

首をかしげる青年に、お客は言った。

「どうだ。わたしの知人で、開運のまじないをやっているやつがいるが、そこへでも行ってみるか」

「そんなものがあるんですか」

「わたしはそういうのにたよるのがきらいで、現状に満足しているから体験したわけではないが、けっこう人がきているらしい。なんだったら、やってもらったらどうだ」

「こうなったら、なんにでもすがりますよ。いまのような営業状態がずっとつづくのでは、うんざりです」

教えられたところへ出かけてみる。なんと、それは新築の高層ビルのなかの一部屋だった。明るく、スチール製のキャビネットが並び、まじないという言葉の持つ怪しげなムードなど、ぜんぜんない。

「やあ、いらっしゃい」

デスクのむこうの中年の紳士が、にこやかな表情で声をかけてきた。高級な服装をしている。青年は言った。

「あまり神秘的じゃありませんね」

「だれもそう思うらしい。お望みのように仕上げてもいいのだが、わたしは実績主義なんでね。お客さまの期待にこたえられれば、それでいいだろうというわけさ。そして、現実にこうして仕事をつづけていられる。それがなによりの裏付けと思わないかね」

「はあ。で、高いんですか、料金は」

紳士は青年に椅子をすすめて言った。

「そう気にすることはない。景気のいい人なら、こんなところへ来るわけがない。高くしたら、やっていけないよ。つまりは、人助けだ……」

高級ウイスキー一本分ぐらいの金額だった。青年は身を乗り出す。

「それぐらいなら、お払いできます。だめでもともと。や、これは失礼」

「なに、かまわんよ。ききめについては、いずれわかる」

「しかし、どんなふうにやるんですか」

「わたしは長いあいだ研究し、ある呪文《じゅもん》を発見した。それをとなえることによって、あなたの運勢がいい方に変る」

「いやに簡単なんですね。それできききめがあるのなら、こんなうまい話はない」

「そうだ。仕事や生活が確実によくなる。ただし……」

　と紳士が言い、青年は聞いた。

「なにか代償がありそうですね」

「そうなのだ。いやな夢を見る。やむをえない副作用ということだな」

「夢ですって……」

「むかしから、夢と運勢との関連について、多くの人がとりくんできた。わたしもそこへ目をつけた。そして、自分を含めて、多くの人から統計をとった」

「どんなことがわかったのですか」

「夢には、正夢《まさゆめ》と逆夢《さかゆめ》とがある。正夢とは、いい夢が実現すること。逆夢とは、その反対。いやな夢を見て気にするが、現実にはその反対にいい結果となる現象だ。そこがどうなっているかを、徹底的に調べてみた。すると、逆夢のほうが圧倒的に多い。楽しい夢を見て、その通りになったなんて例は、あまりないんだな」

「そういえば、そうですね。ぼくも夢のなかでは、何回も成功者になっていますよ」

「もっとも、親しい人の死を夢に見て、その通りになったという例は多い。しかし、これはテレパシーの作用で、夢とはちがうものなのだ」

「本人の運とは関係ないことですね」

「いやな夢を見たあとに、幸運が訪れてくる。実際、そうでなかったら、不公平だよ。世の中のバランスがとれない」

「まったく、おっしゃる通りです。そうあってこそ、筋が通るというものです」

「なみなみならぬ努力をして、成功する。これが本来の姿なのだ。真理といってもいいだろう。わたしは、その血みどろの努力、つらい思いに相当する部分を、夢のなかに押しこめてしまう方法はないかと、その研究をやったのだ」

「うまくいったわけですね」

「だから、ここで開業するまでになったのだよ。というわけで、いやな夢を見るが、そのかわりに運勢が開けてくる。それがいやな人には、おすすめできない」

「わかりました。やって下さい。たかが夢じゃありませんか。現実に汗にまみれるより、はるかにいい」

「では、とりかかるとするか……」

紳士は机の引出しから、小型の装置を取り出した。コードのはじのコンセントをさしこみ、スイッチを入れ、青年の頭に当てる。かすかな音とともに、震動が伝わってくる。バイブレーターを使っているような感じだ。それと同時に、耳もとで呪文がささやかれ、何回もくりかえされた。その相互作用で、効果があらわれるということなのだろう。

「……さあ、これで、あなたの運命はよくなります」

その結果が、この連日の夢となったのだ。そして、ききめは、たしかにあった。喫茶店へのお客は、一日ごとにふえていった。

「まさに驚きだな。こうもすごいことになるとは」

青年はつぶやく。もちろん、それにともなって利益もあがる。この調子でふえつづけるのなら、店の拡張も考えなければならないだろう。

青年は、からだが熱っぽいような気がし、病院へ寄って診断を受けた。医師が言う。

「やっかいな病気にかかりましたな。すぐ入院なさって下さい」

青年は個室のベッドに収容された。

「先生、はっきり言って下さい。どうなんでしょう、重いんですか。長くかかるのでしたら、それなりの手配をしなければなりませんので」

「きわめて珍しい病気なのです。つまり、まだ治療法が確立していない。残念なことですが」

「すると、つまり、死ぬ……」

「そういうことになります。できるだけのことはいたしますがね。しかし、なるべくなら、財産の整理法など、いまのうちに書き残しておかれたほうが……」

「ああ、なんということ。やっとうまくゆきはじめたというのに。とりあえず、妻や友人と相談して……」

「それはいけません。面会は禁止です。伝染したら大変ですから」

「伝染病なのですか」

「ええ。しかし、ほとんどの人は免疫の体質なので、あまり問題にされないでいるのです。あなたの奥さまも大丈夫とは思いますが、万一そうでなかったら、不幸をさらにひろげることになってしまいます。医師としては、それを許すわけにはいきません」

青年は絶望的な気分になった。だれにも会えないまま、ここで徐々に死を迎えなければならないとは……。

そこで、目がさめる。

この悪夢は、いやに日常的でリアルなのが特徴なのだ。さめてからしばらくは、なんともいえない不快な感じがする。

しばらくたって、これはただの夢、いや、逆夢なのだと知る。いいほうにむかう前兆なのだと自分にいいきかせ、やっとなっとくする。

事実、仕事は順調なのだった。もうけた金ですすめられるまま買っておいた株が値上りするという、期待していなかったこともおこった。これも幸運のうちなのだろう。そのため、店を二階までひろげ、改装もするという計画は、予想より早く実現した。従業員も二人やとった。はたしてお客が来てくれるかと心配だったが、それはたちまち消えた。たえず忙しく、ひまで困るなんてことは、ぜんぜんなかった。

利益はあがりつづける。そのうち、となりの店の権利も買い、そこでは食事や酒も出せるようにするか。これだけお客が来てくれるのだ。喫茶だけですますことはない。

青年のところへ、電話がかかってきた。

「いいか、よく聞け。おれは殺し屋だ。まず奥さんを、それから、あんたを殺す。一週間後にな」

「なんだと、なぜ、そんな目に……」

「そんなことは、どうでもいい。金をもらい依頼されたからやるのだ。おれはプロなんだ。決してやりそこなわない。警察へ保護をたのんだって、むだだよ。国賓なみの警備をしてくれるわけがない。予告なしにやってもいいのだが、あまりにも気の毒。思い切り楽しむ余裕を与えてあげるってわけさ。おれは自分の腕前に、それだけ自信を持っているんだ……」

電話は切れ、青年の顔は青ざめる。どうやら、防ぎようのないすごいやつの目標にされたらしい。いったい、だれがそんな依頼をしたのだろう。お客がこっちへ来すぎるので、商売がやりにくくなった同業者だろうか……。

そこで目がさめる。

「まったく、この悪夢にはかなわないな。そのおかげで幸運にめぐまれているとはいえ」

悪夢は型にはまっていなかった。毎日、なんらかの変化がある。いい形容になってしまうが、いつも新鮮なのだ。そのため、なれるということがない。夢のなかで、これは夢なのだと気づくこともないのだ。

そのかわり、店のほうはますます好調だった。お客はつぎつぎとやってくる。そのひとりに青年は聞いてみた。

「おいでいただき、ありがとうございます。ついては、変なことをお聞きしますが、なぜ、この店へお入りに……」

「なぜって、そんなことに理屈をつけられる人って、いるかね。コーヒーが飲みたくなる。店がある。お客も多い。となると、入りたくもなるじゃないか。それとも、あまり人が入っては困るのか」

「いえいえ、そんなことはございません。どうぞ、ごゆっくり」

幸運とは説明のしようもないものなのだろう。それにしても、あの悪夢はもう少しなんとかならないものだろうか。青年は精神安定剤や睡眠薬をためしてみた。

「あなた、大変よ」

「なんだ。こんな夜中に」

「火事だ火事だって声がするのよ」

「なんだと……」

ベランダから見おろすと、このマンションの下のほうで炎が動いている。

「このビルだ。早くおりよう」

エレベーターは動かない。階段をかけおりる。どの部屋からも人が出てきて、その混乱状態といったらない。なんとか五階あたりまでおりた時、下から煙と炎が噴きあげてきた。

「だめだ。非常口へ出ろ」

だれかが言う。しかし、そのドアがあかない。みな、ふたたび上の階へと戻ろうとする。一方、上からも人がおりてくる。押しあいへしあい、どちらも死にものぐるい。

青年はつぶやく。

「とてもだめだ。かりに屋上まで行きついたところで、そこで焼け死ぬか、飛びおりて死ぬかだ」

熱い煙が迫ってくる。もうだめだ……。

そこで目がさめる。

「やれやれ、これも夢だったのか。だまされまいとは思っているのだが、どうもそうはいかないしかけになっているらしい」

薬で防ぐこともできないのだ。そのかわり、金は依然としてもうかりつづける。となりのレストランも開業にこぎつけた。そして、それも開店そうそう、かなりのお客がやってきた。

青年は眠る時間を少なくしてみようと思った。長く眠るから夢を見るのだろう。短時間に深く熟睡すれば、夢を見なくてすむかもしれない。ぎりぎりまで起きていよう。あけがたちかく、大きな爆発音がした。ベランダに出てみると、上空で風を切る音がし、なにかが落下し、遠くのビルが強い光とともに爆発した。テレビをつけてみる。アナウンサーがしゃべっていた。

「戦争です。どこかの国が、わが国にミサイルを発射しはじめました……」

　あわてて妻を起す。

「戦争だ」

「まさか。そんなことが……」

「自分の目でたしかめてみろ」

　高いだけあって、ここからはようすがよくわかった。ミサイルが各所に落下し、爆発している。道には逃げまどう人たち。

「どうしたらいいの」

「わからん」

　戦争とは広大な野原でやるものとばかり思っていた。あるいは、核爆弾で一挙に破滅するかだ。しかし、そのどちらでもない。

　とにかく、逃げなければ。といって、どこへむかったらいいのか。見当がつかない。人びとも、あてもなく動いている。自分の家から少しでも離れればいいと思いこんでいるのだろう。テレビの声も、なんの指示も与えてくれない。

　ミサイルの一発が、近くのビルに命中した。その強い爆風で、二人は部屋の奥へと飛ばされ、倒れ……。

　そこで目がさめた。

「やれやれ、またも夢か」

妻が言う。

「ずいぶん、うなされてたわよ。また、悪夢を見たのね」

「ああ、だんだんすごくなる。そこが悪夢の価値なのだろうな。普通のくりかえしでは、刺激にならないからな。しかし、このままだと、やがては頭がおかしくなってしまうかもしれない」

「なんとかならないものなの」

「いや、方法はある。ある人にたのめば、なおるんじゃないかな」

「だったら、そうしたら。なにも、わざわざ妙な夢を見つづけることもないじゃないの」

「そうだな。店も大きくなったことだし、まあ、この程度で満足するか。しかし、きょうはいろいろ仕事がある。あしたにでも出かけるとするか」

これが一生つづくのだったら、なんのために生きているのかわからない。それに、耐えられる限界というものもある。そろそろ、そこまで来てしまったようだ。

その日の夜は、宇宙生物が侵略してくる夢だった。ピンク色の軟体動物が、人びとを飲みこむのだ。きみの悪さといったらない。さまざまな武器が使われたが、どれも効果を示さない。

「もうだめだ、これ以上は……」

目ざめた青年は叫ぶ。

そして、いつかの開運術の紳士のところへ行った。店じまいはしていなかった。

「やあ、いらっしゃい。いつかのかたですね」

「はい。おかげで仕事はうまくいきましたが、夢のほうがひどくなる一方。なんとかして、以前の状態に戻していただけませんか。お願いです」

「いいですとも」

「それを聞いて、ほっとしました。もし断わられたらと……」

「ご心配はいりません。そのかわり、料金は安くありませんよ。二度目にここへみえるかたは、みなお金をお持ちのはずだ。じつは、それによる収入が目あてなのです。そうでなかったら、わたしも商売になりませんからね」

「料金なら、いくらでもお払いします」

またも、頭へのバイブレーターと呪文とがなされた。

「はい、これですみました」

「ありがとうございます」

青年は喜びながら帰宅する。きょうからは、いやな夢を見ないですむのだ。酒を飲み、いい気分で眠りについた。

美しい女性があらわれた。スタイルがよく、セクシーで、それに言うことがいい。

「ねえ、あなたって、すてきなかたねえ。あたし、どうなってもいいわ。お好きなところへ連れてって……」

目ざめてから、青年はつぶやく。

「まったく、久しぶりだ。夢というものは、ああじゃなくちゃいかん」

楽しい気分で店へ出る。

その日、なぜかお客は、これまでにくらべて目にみえてへっていた。青年は、いやな予感がした。

ゲーム

ある夜、三十歳すこし前の独身の男が部屋のなかでひとり読書にふけっていると、うしろで楽しげな声がした。

「おい、見てくれよ。こんなぐあいになれたんだぜ」

だれだって、ぎょっとする。男はこわごわふりむいたが、だれもいない。背すじをつめたいものが走る。

「たしかに耳にしたが。しかも、聞きなれたような声だった……」

狂ってないのをたしかめるかのように、ぶつぶつ言っていると、それはまたも話しかけてきた。

「ここじゃあ、光のかげんで見にくいかもしれないな。そっちへ回ろう。さあ、よく見てくれよ」

声は移動し、男が目をこらすと、そこには学生時代からの友人の姿があった。時おり会って、酒を飲み、たあいない会話をかわしあう仲だ。

しかし、なんと半透明。

「おどかすなよ」

男はわけがわからないまま、相手の肩をたたいたが、なんの感触もなかった。友人は笑いながら言う。

「な、奇妙なものだろう」

「ど、どうなっているんだ。す、すると、きみは死んで幽霊に……」

「まあ、ひと口にいえば、そういうことになるだろうな。まったく、奇妙な話さ。こんなことになろうとはね」

それを聞き、男の内心のとまどいは、恐怖という形にまとまり、高まった。

「ま、迷わず成仏してくれ。なむあみだぶつ、なむあみ……」

「おいおい、うろたえないでくれよ。成仏なんて、えんぎでもない言葉も使わないでくれ。なにしろ、成仏できないんだし、するつもりもないんだ。それに、なにもここへ、うらみがましくやってきたんじゃないよ。おたがい、長いつきあいじゃないか。面白い体験をしたので、それを話したくてやってきたわけだよ。こわがったりされたら、こっちも困ってしまう」

どうやら危害を受けるおそれはなさそうとわかり、男はひと息ついた。

「そう言われたって、平然としてはいられないよ。いくら親しくったって、幽霊となって、とつぜん出現されてはね。とにかく、びっくりしたぜ。妙な気分だ。いやに愉快そうな点もふしぎだ。うすきみ悪くもなるじゃないか。もし本当に死んでいるのだったら、消えてくれないか」

「たしかに、むりもないな。まだ、なんにも説明してないのだから、変に思われても仕方がないな」

のどがからからになっており、男は水を一杯飲んでから、当然の質問をした。

「ところで、いったい、なにが起ったのだ。順序を追って、わかりやすく解説してくれ。立ってないで、椅子にかけたらどうだ」

「体重がないから、立っていてもくたびれたりしないけどね。礼儀としてそうすべきかもしれないな……」

友人は椅子に腰をおろし、話しはじめた。

「……しばらく前だけど、ぼくは失恋し、すっかり気が沈み、失敗をやらかして会社をくびになってしまった」

「知っているよ。なんとかいいつとめ先はないかと、二、三あたってみたんだけどね、あいにくと……」

その結果かとすまながる男を、友人は制した。

「わかっているよ。就職の容易でない時勢だし、会社をやめさせられたのも、ぼくのへまのせいだ。きみが気にすることはないよ。失恋については、こればかりは当人の責任。ぼくがいたらなかったせいだ。いずれも、だれが悪いといった問題じゃない。しかし、ぼくにとっては、かなりの痛手だったぜ」

「そうだろうな。とくに失恋となると、こればかりはどうしようもない」

「つくづく世の中がいやになったね。生きているのも」

「そのあげく、死を選んだというわけか。なんという早まったことを……」

男は声を高めた。しかし、友人は首を振った。

「早のみこみは、きみのほうなんだがな。そんな時、地味な服装の六十歳ぐらいの男がたずねてきた。陰気なムードをただよわせているのに、顔は笑っているんだ。そして、そいつは、自分は悪魔だと言った」

「本物かい」

「もちろん、はじめはなにかの冗談と思ったよ。しかし、そいつの話をいろいろと聞いているうちに、どうやら、もしかしたらという気分にさせられた。人間ばなれした、異様な印象を与えるやつだしね。そのあげく、条件なるものを持ち出したよ」

「三つの願いをかなえてやるから、死んだら魂をよこせというやつか」

「ああ」

友人はうなずき、男は首をかしげた。

「そんな話は聞いたことがあるが、どういうつもりで、そんな手間をかけるんだろう。そのへんがよくわからない」

「あれこれ言っていたよ。これはサービスのようなものですとか。平凡な形で人生を終るより、はるかにいいじゃありませんかとかね。どうせ死ぬのなら、その前に好きなことをさんざんやってのけ、思い残すことなくというほうがいいんじゃありませんかともね」

「それも理屈だな」

「しばらくやってないので、腕によりをかけてあいつとめますとも言っていたよ。そのうち、ぼくにも想像がついてきた。けっきょく悪魔はいじわるなのさ。望みをかなえさせ喜ばせておいて、やがて、おとし穴にはまってじたばたする人間。それを見物して楽しむってところじゃないかな。ああいう不滅の存在のやつは、退屈なんだよ。そこで、ああいうことをやってみたくなるんだと思うな。やつにとっての、娯楽の一種さ」

「そういうものかもしれないな。しかし、むこうは海千山千、何百あるいは何千人と手がけてきたわけだろう。つまり、プロだ。それにひきかえ、相手になる人間はアマチュア。勝負ははじめからついているようなものじゃないかな」

「そういうことになるな。いままでだれかが使った手では、やられるにきまっている。大金を手にしたはいいが、ナンバーを控えられている、いわくのある紙幣とかね。小額の貨幣でどさりということもあるかもしれない。白昼の街なかで押しつけられ、大さわぎということだってある。しかし、ぼくはやってみる気になった。さっきやったように、その時はやけぎみの心境だったしね」

「よく決心がついたなあ。で、それからどうした」

男は好奇心にかられて身を乗り出し、友人はその先を話した。

「よし、応じましょうと答えたよ。そして、三つの条件の実行はたしかなんだろうねと念を押した。すると、サタンの大王の名にかけてもと誓いやがった。まあ、途中であれはうそでしたでは、だれも二度と相手にしなくなるものね」

「まず、なにを要求したんだ」

「あててみるかい」

友人は笑いながら言った。男は考えようとしたが、ありふれたことしか頭に浮かばない。金銭ではなさそうだし。

「ぜんぜん見当がつかない。なんて言ったのだ」

「ぼくを殺してくれ、だ」

「なんだって……」

まさに、意外そのもの。

「やつもそう言ってあわてたよ。いままで、そんなことを申し出たやつはいなかったらしい」

「そりゃあ、そうだろう。だれだって、もっと現実的なことを持ち出すものね」

「やい、悪魔、早くそれを実行しろと、ぼくは要求した」

それを聞き、男は目を丸くした。

「よく、そんなことが言えたな。悪魔の力をもってすれば、その実行なんか、そうむずかしいことじゃないように思えるな。へたしたら、そこで一巻の終りじゃないか」

「そりゃあ、殺すのは簡単だろうよ。しかし、いいかい。やつには、あとの二つの条件を実行する責任があるんだ。それには、ぼくがなにかを言えるようにしとかなければならない。問題はそこさ。やい、腕によりをかけてとの約束はどうしたと、こっちは言いたいほうだい。じつは、この段階で相手が平あやまりに出るかと思ってたんだけどね。しかし、やはり、さすがだ。やつはなんとか実行したものね」

「どんなふうにだ」

「ごらんの通りさ」

友人に言われ、男はあらためて眺めなおし、大きくうなずいた。

「なるほど、そして、その姿か」

「つまり、現在のぼくは、死んでいるんだ。死んだ時の気分って、あんなものとはねえ。自分の死体を、自分で見おろしているんだからなあ。妙なものだね、あれだけは。それにしても、やつの実力はすごいものだ。いかがです、ご満足いただけましたかと言いやがった」

「幽霊になったってことは、死んだわけだからな。で、その死体はどこにあるんだ」

「どこかに保存してあるはずだよ。いつ、ぼくがもとに戻せと言うかもしれないし、その可能性は大ありだものね。もっとも、他人に発見されないよう、その注意と警戒はやっかいらしい。あいつ、顔をしかめて、ぶつくさ言っていた。たぶん本音だろうな」

そう話す友人を、男はしげしげと観察した。

「それで、どうなんだ。幽霊になってからの気分は」

「悪くないね。この程度に姿をあらわすこともできるし、場合によっては、まったく他人の目に見えないようにすることもできる。まあ、なるべく姿は見せないようにするよ。あいつ、幽霊になったなんてうわさがひろまったら、あとで困るからな。その、いつでも戻れるところがみそなんだから。死んだはずなのにと変に思われる」

「生きている幽霊ってわけか。で、腹はへらないのか」

「そういう肉体的な欲求は感じないね。苦痛のたぐいは、ぜんぜんないんだ。いいものだぜ。しばらく楽しんでみることにするよ。まず、外国旅行。ただでできる。それから、世の中の実体をゆっくり見学することにしよう」

「のんきな身分だな」

「じゃあ、またな。そのうち来るよ」

友人の姿は消えた。しばらくし、男はつぶやく。

「やつめ、妙なことをやったなあ。夢みたいな話だが、筋は通っている。ちょっと、うらやましい気がしないでもないな」

六か月ほどたち、男のところへ、ふたたび友人の幽霊が出現した。

「どうも、ごぶさた」

今回は、それほど驚かないですんだ。男は言った。

「やあ、まだやっているのか」

「ああ。世界をひとわたり見てきたよ。これで文章の才能があればなあ……」

入国や旅行を制限している国、国内で紛争のつづいている国、高度の国家機密を持つ国などについて、耳あたらしい話題をつぎつぎとしゃべった。

「……しかし、カメラを持っていったわけじゃなし、証拠はないんだから、だれも信用してくれないだろうな。信用されたら、スパイとしてこき使われる。悪魔の思うつぼかもしれない。謝礼をもらっても、使いようがないんだからな」

「その悪魔のほうは、どうなっているんだい」

「やつ、しきりにさいそくするんだ。つぎのご希望はなんでしょうかって。いいかげんでけりをつけ、つぎの人を相手にしたいんだろうな。早くて一日、普通で一週間、長くて一か月ってところが平均らしいんだ」

「きみのことだから、また難問を持ち出すんだろうな。天国へ行かせろとか」

「いや、それはだめなんだ。最初にいくつか、これこれはだめだと並べたてられたなかに入っている。なっとくできる形で、ルールがきまっているんだ。女性に関してなら、十人以内とかね。世界中の美女をごそっと集めたりしたら、大ニュースとなり、悪魔にとってもひそかな楽しみでなくなってしまうからな」

「そういうものかもしれない。となると、とりあえず生き返るってことになるな。そうすると、相手のわなが待ちかまえているわけじゃないのかい」

「たぶんね。しかし、ずっと幽霊でいてもいいんだが、いささかあきたね。自由だし、気がねもいらないんだが、自己主張ってものができないからな。ある案は持ってるんだ。はたしてうまくゆくかどうか。成功すればもうけもの。だめだったら、もう会えないかもしれない。といって、いま、お別れを言うのは早すぎるし」

「いやに悟り切った口調だな」

「なにしろ、一回、死んでいるんだ。なまじっかなことは、こわくなくなっている」

「しかし、気をつけろよ。相手が相手だ」

「わかってるよ。じゃあ、な」

友人の姿は笑いながら消えた。

それからしばらくし、男のところへ、またも友人があらわれた。こんどはブザーを押し、玄関から入ってきた。

男は迎えて言う。

「やれやれ、命のあるかっこうに戻ったというわけか。どうだい、いまの感想は」

「生きているってことも、これまた悪くないな。意欲ってものがあり、それをみたす感覚っていうものは、幽霊の時には味わえなかった」

「生活はどうしているんだい」

「なんとか就職できたよ。なにしろ幽霊になってるあいだに、さまざまな企業の内情をさぐっておいた。重役会議に入りこんだり、機密書類をのぞきこんだり、なにもかも自由だったからな。希望していた会社の社員になれたのは、そこで難問となっていることの解決法を持ち込んだからだよ。一流とはいえないが、将来性のある会社なんだ。それなりの働きもするつもりだよ。そこの取引先や競争会社の状況をくわしく知っているんだから。監督官庁の方針までさぐっておいた。これで成績をあげられなかったら、どうかしている。昇進まちがいなしだ」

友人はすっかりごきげんだった。男は思い出したように聞いた。

「そういえば、失恋の心の傷はどうしたね。生き返るとともに、それもよみがえったんじゃないのかい」

「まあね。こればかりは、しようがない。しかし、なんとか代りをみつけたよ。こんどの会社の部長の娘。なかなかいい子なんだ。ぼくが仕事で手腕を示せば、たぶん結婚にこぎつけられるだろうな。うまくゆくと思うよ」

「悪魔の手をかりずにすんだというわけだな」

「そうとも。条件は三回きりなんだからね。女性を手に入れることなんかで使ってしまっては、むだもいいところさ。それこそ、やつの術中におちいるってわけ。多くの連中が、そこで失敗しているらしい。絶世の美女だからいいってものじゃないのにね」

男はさっききから聞きたかったことを口にした。

「生き返ったことで、きみは二つ目の権利を使ってしまった。あとのひとつはどう使ったんだい」

「使わないよ。二つで終りさ」

「しかし、そうはいかないだろう。なにしろ相手は悪魔なんだ。ひとすじ縄ではいかないんじゃないかな。すごいわなをしかけてくるにきまっている。絶体絶命の状態に追い込まれ、救いを求める。それが実現。そのあとはどうなんだい。死の不安だけならまだしも、魂を引き渡す約束がある。それがどういうことか、想像もつかない。いやなものじゃないかな」

「たぶん、そうはならないよ。外国旅行のついでに、どんな先例があるのか、伝説や記録を調べてまわった。そして、これは新手と考えた上での要求だったのだから」

「どう言ったんだ。気になるなあ。教えてくれよ」

「いいとも、悪魔がしつっこく、第二のご希望はというから、きっと実現してくれるなと前おきして言ったのだ。いいか、以前のわたしに戻してくれ。しかし、そっくりそのままの自分にではない。生き返った新しいぼくは、記憶もなにもかもそのままだが、あなたの姿を見ることができない、あなたの声も聞こえない。あなたと会話がかわせないのだ。そういう体質にしてくれとね」

「それがなされたってわけか」

「たぶんね。実体に戻ったとたん、やつの姿は消えていた。そのあと話しかけてもこない。すごい能力だよ。やつにはすべてが可能なんだ」

「すると、第三の権利はどうなるんだろう」

「永久に保留ってとこだろうな。使おうにも、もはやあいつに会えないんだから、どうしようもない。べつに惜しいとも思わないね。これが適当ってとこだろうな。あいつ、くやしがって、ぼくのまわりをうろついているのかもしれないな。それとも、あきらめて別な相手をさがしているか……」

　そのご、その友人には不幸らしきことも起らなかった。昇進もしたし、部長の娘とも結婚でき、順調な日々をすごしている。

そんな消息を聞き、男はうらやましがる。

「あいつ、うまいこと、やったものだな。そう要領のいいやつとも思わなかったが、いよいよとなると、いい知恵も浮かぶのかもしれない。頭は使いようか……」

そこへ来客があった。地味な服装の六十歳ぐらいの男。

「ごめんください。とつぜん、こんなことを申し上げては驚かれるでしょうが、わたしは悪魔でして。お信じいただけるかどうかはわかりませんが」

「信じますよ。いろいろと話に聞いている。存在はみとめます」

「それはちょうどいい。みとめてくれない人に、わたしの力は及ばないのです。では、さっそく」

「まあ、少し考えさせて下さいよ。ぼくにだって作戦をねる……」

「そんなことで来たのじゃない。おれはある人を相手に知的ゲームをやり、みこみに反して、すっかり負けてしまったのだ。この不愉快さをなんとかしなければならない。その気ばらしをやりたいのだ」

なんともいえない、いやな気分が男を襲った。そして、気がついてみると、床に横たわっている自分の死体を見おろしていた。

戦士

その男は四十五歳。かなり有名な企業の課長をしていた。なかなかのやり手でもあったのだ。

ある日、会社から帰る途中、話しかけられた。

「もしもし、ちょっと……」

名を呼ばれた。人ちがいされたのではないらしい。相手は青年。以前に会ったという記憶はない。男は聞いた。

「わたしのことをご存知のようだが、いったい、あなたはどなたです」

「その説明は、いずれのちほど。少しお時間をいただけませんか」

「しかし、紹介もなしとなるとね」

「きわめて重要なことなのです。いかがでしょう。これから、夕食をごいっしょしましょう。代金はぼくが持ちます。なんでしたら、お酒もお好きなだけ」

「悪くないな。しかし、ご希望にそえるかどうかは、わからないよ」

「それは、かまいません。お話を聞いていただければ、けっこうなのです」

「じゃあ、きまった」

男は青年についていった。高級なレストランで食事。青年は見まわして言う。

「かなり、こんでいますね。まず、ゆっくり味わって下さい。お話はそのあとにしましょう。内密にしたいことなのです」

「そうかい」

食事のあと、あるホテルのなかのバーへと席を移した。青年が言う。

「じつは……」

「いやに緊張した口ぶりになったな」

「どうしても、そうなってしまうのです」

「あれだけごちそうになったのだから、どんな話でも聞くよ。いったい、なんなのだい」

「どう切り出していいのか見当もつかないので、とまどわれるかもしれませんが……」

「まあ、話してみるんだな」

「では、そうさせてもらいます。地球外の知的生命体、つまり宇宙人というわけですが、それが存在するとお思いですか」

「なにを言いだすか気にしていたが、たしかに妙な質問だ。そうだなあ。さほど真剣に考えたことはない。なにしろ、毎日の仕事を片づけるだけで大変だからな。しかし、ねえ、夜の空を見あげると、あれだけ星があるのだ。どこかには、文明を持つやつだっているんじゃないかな」

「やはり、そうお思いですか」

「商取引をはじめるとでもいうのだったら、心機一転、そいつの性格の研究をはじめるだろうがね……」

男は笑って酒を飲みほし、青年はおかわりを注文した。

「そういう、友好的なのならいいのですが……」

「おい、なんと言った。そんな口ぶりだと、いるみたいじゃないか。すると、すでに地球に来ているのか」

「そうなんです」

「しかし、新聞で読んだことはないぜ」

「公表したら、どうなります。なにをばかげたことをと怒るやつ。なにかの陰謀の一端と疑うやつ。信じた人たちは恐怖でおろおろ。大混乱が起るだけでしょう。そうお思いになりませんか」

「だろうな。企業につとめていると、想像はつくよ。商品の価格なんか、ちょっとしたことで上下する。まして、宇宙人がやって来たとなるとね」

「でしょう。友好的ならまだいいのですが、そうじゃないのですから、ことですよ」

「はっきりしているのか」

「くわしい説明は、あなたのご返事しだいです。とにかく、このままでは、地球がどうなるかわからないのです」

青年の声は低いが、熱がこもっていた。男はふしぎがって聞く。

「それが事実とすれば、重大なことだな。しかし、なんでそんな話を、このわたしに……」

「お力をお貸し下さい」

「しかしね、わたしは会社づとめ。家族もある。妻と小学生の娘ひとりだがね。その片手間に、なにができます」

「あなたをみこんでの、お願いなのです。やつらとの戦列に加わっていただきたいのです。したがって、その期間は、会社を休んでいただかなくてはなりません。ご家族とも、しばらくはお別れです」

「本格的だな。しかし、この年になって、そんな依頼を受けるとはね。もっと若い人のほうがいいんじゃないかな」

「もちろん、若い人も加わっています。しかし、社会体験のある人も必要なのです。各分野のすぐれた能力を結集して、敵に当らなければならないのです」

「そうかもしれないな」

「急いでいるのですが、いまここでご返事をとは申しません。二日間、お待ちします。お考えの上、おきめ下さい。なお、今後の人生にマイナスになることはありません。それから、この点は最も重要なのですが……」

「なんだい」

「戦いに負けたら、あなたのご家族をはじめ、人類はすべてほろびるのです。あんなやつ、くたばれとお思いの知人もお持ちでしょうが、親しい友人もたくさんお持ちでしょう。勝たねばならないのです」

「わかった」

「このことは内密に。他人にご相談なさらないで下さい。もっとも、笑われるのがおちでしょうが」

「いずれにせよ、ただの冗談ではないようだな。よく考えてみるよ」

男は青年と別れた。

二日後、青年があらわれて言う。

「いかがでしょう」

「協力するよ。なんだか面白そうだ。仕事のほうは、一段落させたし」

「ありがたい。では、くわしい打ち合せをいたしましょう。ぼくについてきて下さい」

案内されてついたところは、大きいビルの地下室だった。ひとつの組織で、何人かがここで働いているらしい。うながされて、男は部屋のひとつに入った。

制服姿の男が迎えた。

「承知していただいて、ありがとう」

「二、三、質問させて下さい。会社にだまってここへ来たのです。無断欠勤というわけにはいきませんし」

「休暇届を郵送すればいい。社の上層部にはここから話をつけるから、問題になることはない。すべてが片づいたら、もとの地位に戻れるよ」

「そうでしたか。それと、もうひとつ。なぜ、わたしみたいな者をご指名に」

「各方面に、適任者を求めているのだ。あなたについても、いろいろと調べさせてもらった。このあいだの、会社での定期的な健康診断も参考にさせてもらったよ。プライバシーにふみこんだ形だが、なにしろ非常の場合なんだから、がまんしてくれ」

「仕方ないでしょうね。過去に悪事をやったことはありませんし、その程度ならかまいませんよ。ところで、状況はどうなのです」

　男は聞いた。制服の人物は言う。

「その実体を見てもらおう……」

　ボタンが押され、壁の画面に映像がうつし出された。円盤状の物体の飛来。着陸。基地の建設。宇宙人の外見は地球人に似ているが、皮膚は青っぽい。

「……やつらは、ほとんど人の住んでないところを選んで、計画を進行させている。一般の人が知らないでいる原因でもある」

「このままだと、どうなるのです」

「地球は制圧されてしまうだろうな。もっとも、いま見た基地は、われわれの手により、すべて破壊した。しかし、やつらも容易なことではあきらめない。目のとどかない土地をねらって、侵攻のための基地づくりをつづけている」

「本来は、軍隊のすることじゃないのですか」

「たしかに、その通り。しかし、軍隊が動くとなると、国によっては手続きが必要だし、目立ちもする。なんの目的でと話題になり、好ましいことではないのだ。それに、いま程度のものだと、わざわざ軍を動かすほどのことはないのだ。簡単な武器でなんとかなる。最近は、性能のいい、使いやすいものが作られているからな」

「それでも、少しは使用法の練習をやらなくてはならないでしょう」

「当然だ。ほぼ二週間は、集団生活をしてもらう。からだのためにもなるぞ」

「でしょうね」

男は、ふとりぎみの自分の腹のあたりを見て笑った。

「しかし、楽観は困る。力では地球側が優位にあり、敵の動きもにぶってきた。やつらもこの星をあきらめ、終結も遠くないことと思われる。だが、これは遊びではない。運命をかけての戦いなのだ。その考えで行動してもらわねばならない」

「わかっています」

「では、すぐ出発してもらおうか。家へ電話をするのはかまわない。毎日でもいい。しかし、言うのは元気でいるとだけ、あとは家族のようすを聞くだけだ。こちらの場所や仕事について話してはならない。交換手が検閲しているから、そのつもりでな」

「はい」

男はふたたび案内され、車に乗せられた。夜のことでもあり、着いたところがどこなのか、よくわからなかった。

朝になってみると、山岳地帯で、会社の寮といった感じの建物のなかだった。一般の人は近よれないようになっているらしい。それらしき人影を見かけなかった。

つまり、ここにいるのは組織の連中と、民間から集められた人たちだけなのだ。民間人には、少年もいれば、五十歳を越した人もいた。

規則的な生活と訓練の日々がはじまった。能力に応じて、扱う武器がちがうのだ。ほかの連中とは、すぐに親しくなれた。なにしろ、使命を同じくする仲間なのだ。

「どうだ、気分は」

そこの所長に聞かれ、男は答える。

「息切れはするし、時どき、目がくらみます。いままで運動不足だったせいか、いささか疲れました」

「やむをえないな。戦いなのだ。まもなく、活躍してもらうことになる。たのむぞ、その時は」

ヘリコプターが飛んできて、一同をどこかの滑走路まで運ぶ。そこから、小型ジェット機。着いた地点は、国内なのか国外なのか、まるでわからない。樹木が少なく岩石の多い丘がつづいている。

「今夜はゆっくり眠ってくれ。あすにそなえてな」

つぎの日、ヘルメットがくばられ、指令が出た。

「敵はこの近くにいる。途中まではジープ。あとは歩いて接近する。成果を期待しているぞ」

いよいよだ。気分がひきしまる。

そして、ついにそれを目にした。円盤状の物体が着陸している。あれか、地球をめざしてやってきた敵とは。

小声で命令が出された。

「それぞれ、武器を持って、ばらばらに散ってくれ。指示は無電で告げる。ヘルメットで声が伝わるのだ。合図によって、いっせいに発射する。各種の武器による、多方面からの同時攻撃。これが効果をあげるのだ。敵に気づかれぬよう行動してくれ」

男は武器を手に、身を伏せて動いた。バズーカ砲のようなもので、使い方はすっかりおぼえこんでいる。耳をすませる。

「うて」

男は引金をひいた。ねらいは正確、それはみごとに命中した。しかし、その爆発の

寸前、円盤から青い光線が発射され、男の肩に当り、鋭い感触があった。

「やられた」

痛みはひろがり、そのあとは徐々に麻痺《まひ》してゆく。それが心臓か頭に及んだら、おそらくだめなのではなかろうか。

組織のひとりがかけつけてきた。

「どこをやられた」

「肩です」

「あんな反撃があるとは思わなかった。一段と注意するようつけ加えなかったことを、おわびする。まもなく、救急班が来るはずだ。しっかりしろ」

「むりでしょう。助からないんじゃないかと思いますよ。地球のものでない、宇宙人の武器にやられたのですから」

「できるだけの手当てはする」

「覚悟はしています。で、相手をやっつけたことは、たしかなんでしょうね」

「爆発は見ただろう。うまくいった。地球への危険が、あれで確実にひとつ取り除かれたのだ。やがて、やつらもあきらめるだろう。きみは、きみの家族を含めて、人類を救ったのだ。報道管制が解除された時、きみの名は大きく書かれるだろう。わたしも、報告書に、いかに勇敢に戦ったかを書く。きみの名は、永久に語りつがれるだろう。しかし、いまは、まず元気を出すことだ」

「ええ……」

声も弱っていた。救急班が到着し、手当てがなされた。しかし、それもむなしく、男は息をひきとった。


「まあ、だいたい、うまくいっているようだな」

組織のひとりが言い、他の者が応じた。

「そのようです。ヘルメット内の装置によれば、死の寸前の脳波は、高度の満足感を示しています。なにしろ、人類を救うという大役をはたしたのですからね。盛り場のけんかの巻きぞえで死ぬのじゃあ、死んでも死にきれない思いでしょうけど」

「順調というわけだな」

「できるものなら、宇宙の空間で、真に迫った戦いをさせて死なせたいものですね」

「そりゃあそうだが、費用の点を考えてみるんだな。いまの程度が、健康保険ぎりぎりのところなんだ」

「それにしても、こんな方法が現実におこなわれるような時代になるとはねえ。たしかに、安楽死としてこれにまさるものは、ちょっと考えられませんね」

「だろうなあ。あの男、訓練の時、息切れと、目のくらみを訴えた。症状が進みはじめていたわけだ。現在では、あの病気は治療のしようがない。苦痛が高まるばかりで、最後には死ぬのだ。治療法があれば、われわれもこんな仕事をしなくてすむのだが」

「この組織の秘密は、いつまでもつでしょう」

「少しでも長いことを祈るばかり。しかし、その時はその時だよ。新しい方法が考え出されるだろう。必要であり、ヒューマニズムにみちた行為なのだから」

来客たち

その男は、六十歳ぐらい。からだつきも立派で、なかなかの貫録だった。交通の便利なところにあるビルの一部屋を借りて、男と女の秘書をひとりずつおき、あれこれと活動していた。

どんな仕事かは、ひとことで説明しにくいものだった。会社と会社のもめごとの仲介をやる。企業の弱味をにぎって、改めたらいいのではとアドバイスをして謝礼をもらう。表に出せない金の運用の世話をする。不動産の争いに口をはさむ。つまり、そういったたぐい。時には、法律すれすれのこともやる。不法でも、発覚しなければいいのだ。

しかし、暴力的なことはしなかった。性格に合わなかったし、そうまでする必要もなかった。まったく、ごたごたで金をもうけるのには、一種の快感があるのだった。

政治家とも何人かつきあいがあり、そう大物というわけではないが、かげの実力者といえないこともなかった。だから、この事務所には、さまざまな人がやってくる。井村という、四十歳ぐらいのやせた男がやってきて、声をひそめて報告した。

「先生、たのまれた件、さぐってきましたよ。よく目をつけましたね。あの会社、会長派と社長派が対立していて、微妙なバランスを保っていて……」

「ふむふむ」

「専務がどっちへつくかが分れ目なんですが、要領のいいやつで……」

この井村は、個人営業の興信所といったのが役割り。たのまれると、さまざまな情報をさぐり出してくる。それがかなり正確なのだ。どんな手段に訴えてるのかなど、くわしくは聞かないことにしている。知ったりしたら、気がとがめるかもしれない。そのかわり、金は多めに払うことにしている。

「じゃあ、その専務について、もう少し調べてもらうとするか。手腕とか人望とか、双方からの働きかけなどについても……」

タバコに火をつけて、男はなにげなく口にした。

「……平沢という人を知っていないかね。リスに似た顔つきをしているやつだ。きみと同じぐらいの年の……」

平沢も、ここに出入りする者のひとり。いろいろと用事をたのんでいる。よそではどんな評判なのかわかればと思ってだ。井村は言った。

「やっぱり、リスに見えますか。なかなかのやつですよ。リスの平沢といやあ、ちょっとしたものでしたよ、ある方面ではね」

「でしたというと、いまの実力はさほどでもないということかね」

「そうじゃあないんです。死んだんですよ。三年ほど前に」

「なんだと、まさか」

「お親しかったみたいですね。だけど、驚いたって、死んだやつが生きかえるものじゃありませんよ。きょうは急ぎますので、では、これで……」

井村の帰ったあと、男はつぶやく。

「つい、このあいだ会ったのにな。井村のやつ、別人と感ちがいしてるのだろうか」

二日ほどして、事務所にその平沢があらわれた。元気な声で言う。

「わかりましたぜ、先生。例のうわさの巨額資金のことです。うそじゃあないんですが、額がひとけた小さい……」

「たしかな筋か」

「いい借り手をさがしています。利息もまあまあですね……」

平沢の話すのをいちおう聞いてから、男は、言わずにいられなかった。

「ところで、井村という名を聞いたことはないかい。きみぐらいの年齢で、やせぎみで、静かな口調の……」

「知ってはいますよ。深いつきあいではありませんがね。外見に似あわず、なかなかのやつです。だから、やつの名を出す時など、だれに聞かれるかわからないから、ひっくりかえして村井として使ったりしたものです」

「いまはどうなんだい」

「それが、死にましてね。惜しいというか、ほっとしたというか、妙な気分でしたよ」

「本当か……」

男は声をあげ、平沢は言った。

「なんで、そんな変な声をお出しになるんです。わけがありそうですね」

「じつは、このあいだ井村が来て、きみが死んでるとか言ってたものでね」

「冗談じゃあ、ありませんよ。どうです、わたしが死んでいるように見えますか。ちゃんと、さまざまな情報を持ってくるでしょう」

「うんうん」

「死んでるのは、井村ですよ。もう、かなりになる。階段で足をすべらせ、打ちどころが悪かったんです。ね、しっかりして下さいよ。わたしは健在でしょう」

「そうだな。で、きみに兄弟はないのかい。人ちがいされてるのかもしれない」

「兄弟はありませんし、親類にも心当りはありませんね。人ちがいなら、やつのほうだ。先生の考えてる井村は、わたしの知ってたのと別人なんでしょう」

「かもしれないな」

「そうですよ。では、そのうち」

平沢は帰っていった。男はしばらく、ぼんやりしていた。なにがどうなっているのだ。死んだのは、どっちなのだ。

その二日後、井村がやってきた。真相はどうなのか。男は聞いた。

「同姓で、顔が似ていて、人ちがいされたことはないかね」

「ありませんね。いったい、どうしたんです」

「ほら、こないだの話の平沢、リスの平沢が来たんだよ。やつは、死んだのはきみのほうだと言っていたよ。なにか心当りはないかと思ってね」

「あるもんですか。死んだのは平沢のほうですよ。そんな年でもないのに、脳出血。葬式に行ったわけじゃありませんけど、たしかです。わたしを見て、かげが薄い感じでもしますか」

「しないな」

「だったら、いいじゃありませんか。計画どおりにことが進展していれば。あまり妙な、よけいなほうに頭をお使いにならぬよう、お願いしますよ」

「そうだな」

男はうなずく。しかし、ひとりになると、気になってならない。

それから三日目に、この事務所に、松原という弁護士がやってきた。男とほぼ同じ年配で、ほうぼうに顔がきく。だれかにおどしをちらつかされた時、この松原にたのむと、たいていおさまる。金はかかるが、なにかと役に立つ人なのだ。男もていねいに迎える。

「よくおいで下さいました」

「近くまで来たついでね。どうかね、うまくいっているかね」

「はあ……」

「なにか、元気がないな」

「おかしな気分なのです……」

死んだのはあっちだと主張しあっている二人のことを話した。松原はうなずいて言う。

「ふしぎなことだな」

「だれとだれのことなのだ。そこがわからないと、考えようがない」

「気になりますよ」

「ご存知かどうか、井村と平沢という、どっちも四十歳ぐらいの……」

松原の表情からは、知ってるのかどうかはわからなかった。弁護士とは、そういうものなのだろう。

「あくまで仮定だよ。こう考えたらどうだ。その二人は、なにかが原因で対立した。その度が高まり、相手を消そうとして、殺し屋をやとった」

「そんな職業があるんですか」

「社会の裏側には、ないこともない。需要あれば、供給ありだ」

「で、どっちがやとったのです」

「両方がだよ。手づるをたよりに、さがす。殺し屋なんて、そうそういるものじゃない。二つの仕事を引き受けたら、どうなる。しとめたと報告しないと、報酬がもらえない。適当な形に仕上げたくもなるんじゃないかな」

「ありえますね。おたがい、相手が死んだものと思い込み……」

「ということも、ありうるというわけさ。しかし、そんなつまらんことで悩むのは、よくないな。なすべきは仕事だよ」

松原は帰っていった。

四日ほどして、平沢がリスのような顔をしてあらわれた。男は聞いた。

「殺し屋なるものを知ってるかい」

「知りませんね。ご利用なさりたいんですか。これだけは、やめておいたほうがいいと思いますよ」

「べつに、使う気はない」

「どうかしてますよ、このごろの先生は。なんで、殺し屋の話など……」

「井村の死んだのは、そのせいだということも考えられる」

「となると、さしむけたのは、わたしですか。なんで、そんなことを。先生は、井村が死んだとは、思ってないんでしょう。なら、どうでもいいじゃありませんか。しかし、だれです、そんなうわさを口にしたのは。これだけは教えて下さいよ」

「松原という弁護士さ……」

「あ、あの松原さんね。なかなかの人物でしたね。惜しい人だった」

「死んでいるような話しぶりだね」

「たしか、五年前かな。なくなられたのは」

「信じられん。五年前のいつだ」

「さあ、春ごろでしたかな。だけど、新聞の死亡欄にはのりませんでしたよ。のるわけがありませんものね。あんなふうに、社会的な名声を求めない生き方、活躍もそれにふさわしい世界に限られてましたから。わたしも、そういうたぐいのはしくれですけどね。つまり、信用と秘密をおきてとして、仕事をしているのですよ。だから、変なうわさは困るんです。やる気をなくしますよ。松原さんは死んでいるから、別な人が作ったのでしょうが」

平沢の去ったあと、男の来客を見る目つきが少し変った。こいつは、はたして生きているのか、死んでいるのか。

事務所へやってくる人は、しだいにへっていった。井村も、平沢も、松原も来なくなった。なにをやっても金にならず、秘書をひとりにへらし、さらにそれにもやめてもらい、ついには事務所も手ばなした。

すっかりおちぶれ、男は昔の知人のせわで、なんとか生活している。折にふれ、かつての順調だったころのことをなつかしむ。そのたびに、つぶやく。

「こうなったのも、だれかののろいにちがいない」

あのころが異常だったとは思わずに。

疑問

その青年はマンションの一室を自宅としていた。三十歳ちかいが、まだ独身。つとめ先は小さな貿易会社。大商社が手がけないようなものを狙って積極的に扱い、かなりの利益を上げていた。ボーナスも高額で、彼もマンションを買うことができたのだ。

青年は趣味として、あやしげな古い書物や文書を収集していた。外国のものが多い。仕事で出張すると、あいまを利用し、図書館や古書店に行く。

書物そのものを集めているのではなかった。青年の関心は、その内容にあった。コピーでいいのだ。カメラはいつも持ち歩いていたし、複写機も普及している。だから、さほど金をかけずに集めることができた。古い書物だから、著作権の問題もない。

そもそもは、長期的な天候予知の占いができればと思ってはじめたのだ。気象衛星が打ち上げられ、コンピューターの性能も高まっているというのに、長期予報となると、あまりうまくいっていない。ぴたり的中となれば、農産物の買いつけなど、ずいぶんやりやすくなる。

しかし、それらの資料をふまえての黒魔術的な方法をもってしても、なかなかうまくいかない。

そのうち、青年の関心は、悪魔を呼び出す方法に移っていった。呼び出してどうするかまでは考えていなかった。それだけだって、面白いではないか。

「だいたいわかった。たぶん、これでいいはずだ」

そうつぶやける段階にまでなった。彼は材料を買いととのえ、準備は完了。

「さあ、とりかかるぞ」

床のじゅうたんの上に、毛糸を伸ばして、星形を作った。長さが正確でなければならない。鋲《びょう》で固定させた。そして、五つのとんがった部分に、鳥の羽根、魚の尻尾《しっぽ》、皿にのせた豚の臓物、銀貨、レンズを置いた。ゆっくりと呪文《じゅもん》をとなえはじめる。

「ペムラ、ペムラ、マポスロア……」

と同時に、噴霧器で液体をまきちらした。ワインのなかに、薬品だの薬草だのをとかしこんだものだ。呪文をとなえつづけながら、それをやる。

霧のなかに人影があらわれた。

「うまくいったぞ。みごとに出現……」

しかし、青年はたちまち、妙な声をあげた。

「……これが悪魔か」

セーターを着た、ふだん着姿の、若い女が立っていた。二十二歳ぐらいか。すごみのようなものは、なんにもない。むしろ、好感を抱かせる印象だ。しかし、油断は禁物。青年は警戒しながら見つめていた。

彼女はあたりを見まわして言った。

「あら、ここはどこなの。あたし、どうしてこんなところに……」

それに対し、青年は言った。

「ここは、わたしの住居だ。研究を重ねて、呼び出すことに成功したというわけだ。おまえは、わたしの命令に従わなければならない」

若い女は目をぱちぱちさせた。

「わけがわからないわ。なんで、命令されることになるのよ。とんでもない話だわ。昼間、会社でいいかげんこき使われているというのに」

「会社組織とは、進歩したものだな」

「あなたのほうこそ、どうかしてるんじゃないの。いま、会社なんて、珍しくもなんともないじゃないの」

「しかし、悪魔の世界となると……」

つぶやく青年に、若い女は言った。

「なんですって。ここが悪魔の世界なの。なぜ、あたしが連れてこられたの。いじめられるのじゃ、割りが合わないわ。だけど、あなた、あまり悪魔らしくないわね……」

「なに言っているんです。ちがいますよ。悪魔はあなたのほう」

「冗談もほどほどにしてよ。あたしは、会社づとめの、普通の女よ。魔女になりたいと思うことはあるけど、思うだけ。うそだと疑うのなら、会社とあたしの名を教えるから、電話してみたら。宿直の人がタイムカードを調べて、返事をしてくれるはずだわ」

「ふうん、どうやら本当らしいな。とすると、どこかで手ちがいがあったわけか。まあ、そこから出てきて、ここの椅子にかけませんか」

彼女はひょいとまたいで、星形を越えた。なんの変化も起らなかったし、飛びかかってもこなかった。

「いったい、どうなっているの。教えてくれてもいいでしょう」

と若い女は言う。青年は冷蔵庫から出してきたジュースをすすめながら話した。

「五年がかりで集めた資料をもとに、悪魔を呼び出す方法というのをやってみたのですよ。すると、あなたが出てきた」

「おあいにくだったわね、ただの女で。がっかりでしょう」

「いや、なかなか魅力的ですよ。お会いできてよかった」

青年の正直な感想だった。彼女も笑いながら言った。

「魅力はあれど、魔力はなしってとこね。でも、どうしてこうなっちゃったのかしら」

「わからない。やり方にまちがいがあったんでしょうな」

「あるいは、悪魔なんて、もう絶滅しちゃったのかもしれないわね」

「で、あなたはどこに住んでいるのです」

青年が聞き、女は答えた。タクシーで二十分ほどの距離。伯父《おじ》の持っているアパートの一室に住んでいる。夕食後、その部屋でステレオを聞いていると、突然ここへ来てしまった。そんなことを話したあと、彼女は聞いた。

「どんな方法を使ったの。あたし、被害者なんだから、教えてくれてもいいでしょう」

「いいとも……」

青年は星形を指さし、呪文を口にしながら説明した。そして、つづけて言った。

「……それにしても、一種の瞬間移動、テレポーテーションが実現したことはたしかなようだ」

「そうみたいね。だけど、なぜ、あたしが選ばれたのかしら」

「わからない。なにか心当りはないかい」

「さあ、音楽を聞いているうちに、雑念が消え、べつな世界へ行きたいなという気分だったわ。そのせいかもしれないわね」

「あるいはね。ほかに考えられない。しかし、きみは本当に、悪魔でも魔女でもないんだろうね」

「残念ながらね。ねえ、これを使って、うちまで帰してもらえるの」

「その呪文は知らない。読んだこともない。悪魔なら、帰れと言えば消えるはずなんだが。やってみるか」

女を星形の中央に立たせ「帰れ」と言ってみた。しかし、なんの変化もない。

「だめみたいね」

「悪魔じゃないせいか」

「あたし、お金、持っていないのよ」

「タクシー代なら払うよ。変な目にあわせて、申しわけなかった」

「はじめは驚いたけど、面白かったわ。また呼び出してね。電話するから。あたし、雑念を払って、じっとしてるわ。きっと、いまの再現ができると思うわ」

彼女は玄関から帰っていった。そのあと、青年はつぶやく。

「そういうことなのか」


それから三日ほどたった夜、青年のところへ、このあいだの若い女から電話がかかってきた。

「ねえ、またやってみてくれない。ちょっとお会いしたいの」

「その気になってくれたとは、うれしいね。ワインでも冷やしておくかな」

「そういうことは、そのうちゆっくり。いまは、ご相談したいことがあるの」

「じゃあ、やってみますか。星形を作るのに、七、八分かかります。豚の臓物と魚の尻尾は、冷蔵庫のなかで冷凍状だ。そのままでもいいだろう。物に変りはないのだ。そんな見当で、無我の境地に入って下さい」

はたしてうまくゆくかどうか。青年は前回と同じように呪文をとなえた。

「ペムラ、ペムラ、マポスロア……」

噴霧器が使われる。

このあいだの若い女があらわれた。その右手に、なにかを持っている。よく見ると、人間の腕だった。青年は驚く。

「なんです、それ」

「あ、こんなふうになってるのね」

彼女はさほどあわてず、星形のマークのそとへ出た。すると、そのあとに四十歳ぐらいの男が出現した。空間から抜け出たという感じだった。そいつは言う。

「はじめまして」

「いったい、だれなのです。なぜ、こんなところへ……」

と聞く青年に、若い女がかわって答えた。

「あたしね、あれから考えたの。あなたに呼び出されるのも面白いけど、一方通行じゃあ、アンバランスじゃないかしらってね。そこで、あなたから聞いた方法を使って、やってみたの。あなたが出てくるかと思ってね。そしたら、なぜか、この人が出てきちゃったのよ。どうしてかしら」

「わからないな。雑念にとらわれていたからかな。で、あなたはお仕事、なにをなさっているのですか」

と青年は四十男に言った。

「理髪店をやっています。堅実な商売ですが、いささか単調ですね。そのせいか、ひまがあると、ふっと空想にふけったりします。年がいもなく……」

「はは あ、そのせいですね」

「しかし、こういうことが現実に自分の身に起るとは。びっくりしましたよ。テレポーテーション、そういっていいんですか。他人の力によるものだから、正確には……」

「呼び方にこだわることはないでしょう。大事なのは、この現実ですよ」

「その女のかたから、大体のことはお聞きしました。しかし、やり方について、もう少しくわしく知りたいものですね……」

さらに十日後。夜。青年の部屋は満員といった感じだった。

青年。

青年が呼び出した若い女。

若い女が呼び出した四十男の理髪店主。

理髪店主が呼び出した三十歳ほどの主婦。

主婦の呼び出した中学生の男の子。

中学生の呼び出した女性アナウンサー。

それらが順次、ここへさかのぼってきたのだ。手をつなぎあってぞろぞろ出現したのは壮観だった。なぜか、異性を呼び出してしまうらしいことがわかった。紹介みたいなことがおこなわれたあと、まず、理髪店主が言った。

「ラジオの女性アナウンサーが出現したとはねえ。マスコミ関係者だ。これで、もう秘密は保てなくなる。わたしも、店のお客さんにも決して話したりしなかったのに」

女アナウンサーが言う。

「あら、あたしだって、話したりはしないわよ。本気でこんな体験を話したら、世をまどわすからって、やめさせられちゃうわ」

青年が口をはさんだ。

「本気じゃなく、冗談としてだって同じですよ。呪文とか、星形の寸法とか、噴霧器に入れる液体の成分とか。やってみようとする人が出る。となると、ことですよ」

みな、困ったことだと、顔を見あわせる。中学生の男の子が言った。

「その点は、いまのところ大丈夫。ぼく、それについては、まだこの人に教えてないんです」

女アナウンサーが言う。

「知りたい気もするけど、なんだか不安だわ。どんな人が出てくるのか、わかんないんでしょ。場合によっては、刑務所のなかに入れられている人が来るかもしれない。囚人って、なんとかしてそとへ出たいと思いつづけですものね。そんなのが出現して、いなおり強盗になられたりしたら、いやだわ。変なことにならない方法なんかないの」

頭がいいのか、鋭い指摘だった。青年は顔をしかめて言う。

「そのへん、どうなっているのか、まるでわからないんです。自分で手をつけておきながら、説明できないなんて、情ない。こんなこと、はじめなけりゃよかったと、反省しているんですが」

主婦が口を出した。

「だけど、これだけすごい現象でしょ。うまく利用すれば、世の中の役に立つんじゃないかしら。会社への通勤とか、商品の流通とか。物価も下がるんじゃ……」

若い女が言う。

「うまく通勤に使えれば、大助かりだわ。だけど、あたしはここへの一方通行しかできないみたいなの」

「だから、それはえらい学者たちが研究し改良して……」

と主婦が言うのを、理髪店主が制した。

「通勤に使えるようになったら、交通機関の関係者、みな失業ですな。流通機構のほうも、そうなる。パニックが起るんじゃないでしょうか」

女アナウンサーも言う。

「そうなったら、もう、秘密でもなんでもなくなっちゃうわね。軍備に利用しようとする国も出てくるわ。科学的な新発見って、おしまいはみんなそこへゆく。防ぎようもなく核兵器が運ばれて……」

主婦がさっきの意見を撤回した。

「そうなったら、たまらないわ。悪用を防ぐ方法って、ないんですか」

視線の集中を受け、青年は言った。

「弱りましたね。そもそも、善悪の判定となると、議論しても答えは出ないでしょう。便利か失業かの点でも。かりに基準が出来ても、うまく整理できるかどうか……」

青年は頭をかかえこむ。みな、沈黙。ことの重大さが、わかりかけてきたのだ。

中学生が言った。

「ぼく、ふしぎなことが好きで、これも、やってみたらうまくいった。だけど、なにかひっかかります。こんなこと、起りうることなんでしょうか。その疑問を考えはじめているんです。どこか、おかしいんじゃないかなあ。みなさん、そう思いませんか」

女アナウンサーもうなずく。

「そういえば、そうね。人が移動するんだから、エネルギーが必要なわけよ。どうなっているのかしら。呼び出したほう、呼び出されたほう、どちらかが長い距離を歩いたような疲れを感じていいのにね。だれか、いらっしゃる」

みな首を振った。理髪店主が言う。

「そうですなあ。たしかに、ふしぎです。わたし、科学のことはまるで知りませんが、どこか変です。現実にそうなったじゃないかと言われても、半信半疑だ。神社におまいりして、もうかったこともあるが、そうでない時もある。自信がなくなってきた」

きりがないので、青年が言った。

「夜もおそくなりました。この件については、そのうち、あらためて相談しましょう。やり方については、その中学生のところでとまっている。秘密は現状のままにしておきましょう。改良法、新しい利用法、悪用防止法など、それぞれ考えておいて下さい」

みな、つぎつぎと帰っていった。来るのは簡単だが、帰るのは、歩くかなにかに乗るかしなければならない。

一週間ほどたち、青年のところへ若い女から電話があった。

「ちょっとお会いしたいの。やってみてくれる……」

「ああ」

青年はやった。しかし、なにも出現しなかった。うまくいかない。そのうち、玄関のベルが鳴り、あけると彼女だった。

「だめだったでしょ。タクシーで来たの」

「そうかい。まあ、なかに入らないか」

女は椅子にかけて話しはじめた。

「あれ以来、だれも、うまくいかなくなっちゃったの。どうがんばってもね。あの中学生が、疑問というものを持ち出したからみたいね。心のすみに少しでも疑問があると、だめらしいの。以前の状態には、戻れないわけよ。あなたも、やりながら、それを気にしていたんでしょ」

「そういわれればそうかもしれない。はじめのように、信じ込んでじゃないものね。

これで、なにもかも終りか。夢みたいなものだったな」

「でしょうね。じゃあ、あたし……」

「そうだ、きみの電話番号を聞いてなかった。呼び出しができなくなると、どこかで会うほかなくなってしまう。そのうち、また会ってくれるだろう」

「ええ。でも、こんなきっかけで知り合いになったなんて……」

向上

その病気がいつごろ発生しはじめたのか、人びとは知らなかった。もっとも、これはたいていのことにあてはまる。そのうち、一部の新聞が小さく報道した。現実に、それで死ぬ人がいたのだ。

病気というものは、関心をひきやすい。生活の心配がなければ、まず健康を考えるのが普通だ。記事としての扱われ方が大きくなってゆく。

三歩病という名称が、いつのまにか定着した。発作のほとんどは、いや、すべてといっていいのだろう、歩いている時に起る。とつぜん「あっ」と叫び声をあげる。そして、三歩ほど歩きつづけ、前方に倒れて息がたえる。

二歩や四歩の時もあるらしいし、死んでから倒れるのかもしれなかった。とにかく、そばにいた人がかけよった時には、心臓がとまっている。救急車を呼び、あるいは近くの医者を呼び、手当てがなされたこともあったが、回復した例はなかった。

働きざかりの人に多かったが、そうばかりとも限らなかった。定職を持たず、ゆうゆうと生活、近所へ散歩に出た時にという、笑えない例もある。若い男が精神的な疲労か、働きすぎが原因ではないかと、多くの医学者が言った。しかし、これは男性に限るわけではなかった。眠っているあいだにやられるポックリ病のたぐいだろうと。しかし、これは男性に限るわけではなかった。働きざかりの男が率では高かったが、女も、老人も、子供にも発生した。精神的な疲労なら、性別年齢を問わず存在する。

会社などでの健康診断のデーターも調べられたが、心臓になにか欠陥のある人がなりやすいともいえないらしかった。また、伝染性のものではないようだった。地域的に集団発生することもなく、家族がつづいてというのもない。病原菌もビールスも発見されない。

こうなると、交通事故のようなもの。予防のしようがない。あまり無理はしないようにと心がける程度だ。少なくとも、これは悪いことではない。目立って多いわけでもないので、パニックといった状態には発展しなかった。

その三十五歳の男は、ある日の午後、ゲームセンターで遊んでいた。すると、声をかけられた。

「お上手ですなあ」

顔を上げると、五十歳ぐらいの身なりのいい紳士がいた。男は照れくさそうに言う。

「いや、ほかに時間のつぶしようがないのでね」

「おひまとは、ちょうどいい。そろそろ夕方です。一杯やりませんか。いいバーを知っています。ごちそうしましょう」

「じゃあ、お言葉にあまえて……」

男はついていった。音楽がかすかに流れている。落ちついて話すのに適当な店だった。

「気楽な生活のようですね」

紳士に言われ、男は首を振った。

「とんでもない。会社をやめたので、失業保険をもらっている身ですよ」

「なんでやめたのです」

「人員の縮小です。わたしのワイフは、小さなアクセサリーの店をやっている。それに子供もないのです。わたしがやめれば、だれかもっと切実な生活の人が社に残れると思いましてね」

「ご立派です。そういう人こそ、尊重されなくてはなりません。いかがでしょう、ある仕事につきませんか。社会のためになることです。給料も悪くありません」

「やりますか。毎日をあてもなく遊んですごすのにも、あきました。あなたは、そう悪い人じゃないようだし」

「では、あしたの午前十時、ここで会いましょう」

紳士はメモ用紙に地図を書いた。わかりやすい場所だ。それから、ひとつ前途を祝してと、さらに酒をすすめられ、男はいい気分で帰宅した。

翌日、男は指示された街かどへ行った。紳士は待っていた。そばにゲームセンターがある。

「ちょっと入りませんか」

紳士に言われ、男は肩をすくめた。

「そういうのから足を洗おうという時に」

「最後を飾ってですよ」

移動する動物を狙ってうつやつだ。たあいないゲームで、男は容易にいい点をとった。

「うまいもんでしょう」

「合格ですよ」

そこを出て、少しはなれたビルの地下へおりる。商店が並んでいてにぎやかだったが、その下の地下二階となると、ひっそりとしている。廊下のそばの一室に入る。お客のいない小さな喫茶店といった感じで、テーブルと椅子とがあり、壁には鏡がついている。

男を椅子にかけさせ、紳士が言う。

「連れてまいりました」

声がかえってくる。

「ようこそ。マジック・ミラー越しで、まことに失礼だが、しばらくは顔を見られたくないのだ。ところで、働く意志があるとか」

鏡を見ると、自分がうつっている。どこを見たものかとまどいながら、男は答える。

「ええ。しかし、わたしの経歴などをお知りにならずに……」

「すでに、くわしく調べてある。性格についても、好みについても。だからこそ、さそいをかけたのだ」

「犯罪に関係あるんじゃないでしょうね。なんだか、秘密めいている」

「犯罪どころか、その逆だ。やっているうちに、働きがいを感じるようになるだろう。しかし、直接に感謝されることのない、裏方の仕事なのだ。おもてにはあらわせないが、公的な機関なのだ」

「スパイ関係ですか」

「そういうたぐいではない。いずれわかるだろう。とにかく、給料は保証する」

　まともな、しっかりした口調。犯罪組織のような崩れた響きはおびていない。

「やりましょう。面白そうだ。いままでずっと、ありふれた会社の仕事でした」

　壁の一部から、引出しのようなものが伸びて出てきた。声が言う。

「そのなかに札束が入っている。とりあえずの費用だ。今後、給料は一か月ごとに支払う。ここへ寄って、ここから現金で受け取ってくれ。税引きだから申告は不要。ほかに、バッジもあるだろう。目立たぬものだが、服のえりにつけてくれ。さて、同僚を紹介する。しばらくは、彼の言うことに従って行動してくれ。彼はミスター・A、きみはミスター・B。そう呼びあってくれ」

　いっしょにいた紳士が部屋を出て、かわりに四十歳ぐらいの人物が入ってきた。

「よろしく、ミスター・A」

「こちらこそ。しかし、その呼び方、ひと前では使わないようにしよう。変に思われる。さて、まずは仕事だ。むずかしいものじゃないよ。さあ、出かけるか」

　その地下二階のそばは、駐車場になっていた。運転手つきの、専属らしい車が待っていた。それに乗り、地上の道へと出て、盛り場へ行く。車からおり、あるビルに入り、三階の小さな部屋に入る。かどに位置していて、二つの面が窓になっている。

窓ぎわに三脚がすえられ、精巧な望遠鏡がとりつけてある。壁のハンドルを回すと、窓ガラスが上にあがる。同僚は言った。

「下を通る人たちをのぞいてみてくれ。横のダイヤルが、ズーム装置だ。顔のスナップ写真をとる調子で、ダイヤルのそばのボタンを押すのだ。試験的に、何回かやってみてくれ」

やってみる。カチャッ、カチャッ。男は聞く。

「こんなふうにか」

同僚はうなずき、一枚の写真をポケットから出し、手渡した。五十歳ぐらいの、やせた男がうつっている。

「まもなく、こいつがむこうから歩いてくるはずだ。確認して、鼻が画面の中央にきた時、シャッターを押してくれ。人ちがいしないよう、この写真をクリップでそばにはさんでおく。両目で見くらべた上でやってくれ」

「ああ」

やがて、目標のやつがあらわれた。まちがいない。ボタンを押す。ガチャッ。さっきより重くにぶい音。のぞきつづけていると、そいつはゆっくりと倒れていった。

「どうしたんでしょう」

男は聞き、同僚は答えた。

「三歩病だよ」

「あの奇病ですか。その瞬間の写真がとれたというわけですね」

「ちがうよ。いま押したボタンで、この装置が作動し、ビームが発射され、やつに命中し、心臓の神経が麻痺《まひ》した」

それを聞き、男は悲鳴のように叫んだ。

「人を殺してしまった」

「そうだ。だましたのはぼくだが、きみも協力した。秘密は守ってくれるな。そりゃあ、いまはショックだろう。気にするなと言っても、むりかもしれない。くわしく説明してあげる……」


ある週刊誌が興味本位に報じていた。

このあいだ、盛り場で三歩病の発作で死んだ某銀行の役員。公金を流用し、株式投資をやり、ひそかにもうけていたらしい。銀行に損害を与えたわけでなく、信用上、銀行側はその事実を否定している。

しかし、それによって得た利益は多額であり、税務署が調査に乗り出した。だが、架空名義を使っていた上、なにぶん当人が死亡しているため、すべては打ち切り。

そのことへの良心のとがめが、発作の原因になったとも考えられる。よからぬことをやる時は、精神安定剤の服用もお忘れなく、とも。

「われわれは執行官というわけか。ミスター・A」

と男が言う。きょうは、べつなビルの一室。同僚は答える。

「そういうことだ。前にも話したが、だれかれかまわず狙うわけではない。調査部門、コンピューターが動員され、念には念を入れての決定だ。それらに従事している人たちの努力も、大変なものらしい。悩みも……」

「そうだろうな」

「三歩病で死んだのは、みな、かなりの悪事をやっているやつばかりだ。殺人、傷害に匹敵するようなのを。それでいて、表面はまともな社会人ぶっているのが多い。公然と指摘し、問題にしてもいいが、みじめな刑務所行きか、自殺だ。それより、あっという死の三歩病。本人にも遺族のためにも、このほうがいい。そう思わないか」

「でしょうね。年ごろの娘なんかが、犯罪者の子ときめつけられては、気の毒です。罪をにくんで人をにくまない社会には、まだなっていない」

「だろうな。だから、この組織が存在し、活動しているのだ」

「きょうの目標は……」

男が聞くと、同僚は写真を出した。三十歳ぐらいの女性。

「こいつだ」

「いやに美人だな」

「ああ。それをいいことに、一種の結婚詐欺をつづけている。青年から金を巻き上げる。それから、冷たくする。がっくりきて生きる気力を失い、自殺。すでに、二人がそうなっている。いまも三人の若者をあやつり、金を引き出している。矯正不可能な性格なのだ……」

「わかった。決定は正しい。まかせておけ……」

男は装置を操作し、命中させた。鼻のあたりにビームのあとがつくらしいのだが、前へ倒れるため、顔の傷とみわけがつかなくなる。

「……やった」

「楽しくなってきたようだな。二回目にして、そうなるとはね。たいていの人は、最

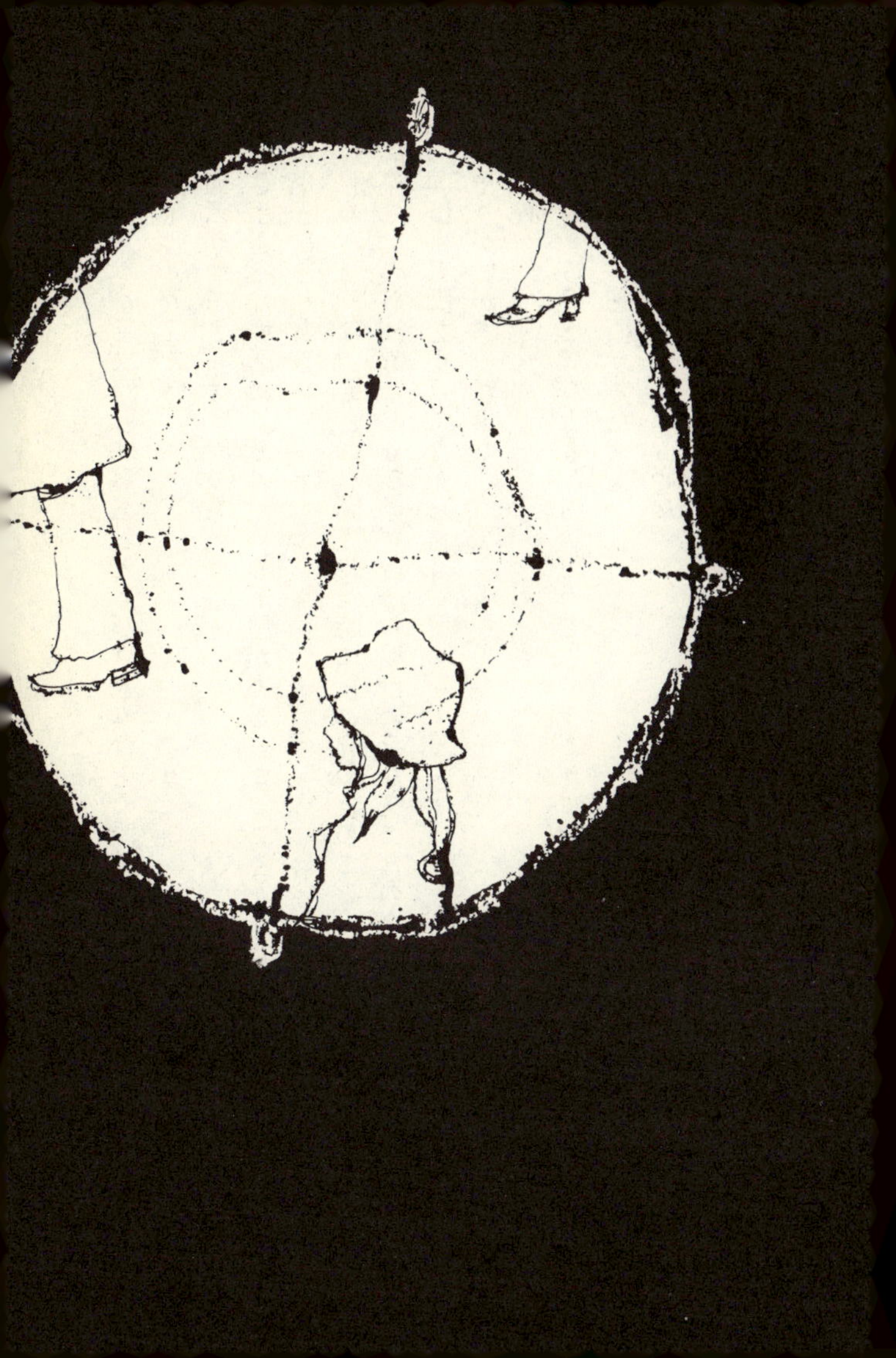

初はびっくり、二回目はおどおどだが、きみはその段階をとび越えている」

「順応性かな……」

何日かすると、すっかりなれた。

さまざまな場所に、そのための部屋があるのだ。ごくたまに、走る自動車のなかからやることもある。

服のバッジは、警官に尋問された時に役に立つとのこと。これをつけていると、非常線で止められることもない。万一の場合にそなえてなのだ。

同僚は三脚を組立てながら言う。

「やりがいがあるだろう」

「ああ」

「そのうち、ただの仕事と割り切ってしまうようになるよ。疑問や議論を口にしたいのなら、いまのうちだ」

うながされて、男は言った。

「この行為、本当にいいことなんでしょうね」

「正義とはなにか。その定義はきわめてむずかしい。また、各人各様だろう。しかし、悪はとなると、なんとか形がつかめる。現実に存在している」

「悪とは、なんなのです」

「他人への迷惑、不当なる利益。それも、ほどほどなら仕方ない。しかし、ある限界を越し、継続してとなると、大部分の人は排除したいと思うだろう。それは悪とみとめていいのじゃないかな」

「つまり、社会の敵だな」

男が言い、同僚はつづけた。

「そうだ。戦いなのだ。善良な精神への侵略といっていい。悪事とは、地球を混乱におとしいれるための、宇宙人のリモート・コントロールによる現象だと考えれば……」

「自衛の戦いだ」

と男は声を高めた。しかし、同僚はひたいに手をやって言う。

「残念なことは、あるレベル以上の政治家が例外になっていることだ。対立者の暗殺になりかねないからだそうだ。社会における一般的な悪人に限られている」

「それは仕方ないだろうな」

「ああ。しかし、政治家と組んで、あきらかに不当すぎる利益をあげ、私したやつは、何人か始末した。いずれ、その効果が……」

世の中、少しずつよくなっているように思う。

世論調査でこんな意見が半数をはるかに越えたのは、何十年ぶりか。天罰があると思うとの回答も、かなりの高率になっている。

「百人は越えたかな」

男がつぶやき、同僚が言う。

「もっとだろうな。なあ、時どき考えるよ。人類が進化の段階で、悪人淘汰《とうた》の法則をそなえていたらなあと。また、病気というものが、意志を持っていて、善良な人間にはとりつきにくくなっていたらなあと」

「それをおぎなっているんじゃないか。われわれは白血球みたいなものだ。たえまなく、悪という病原菌を消しつつある。発生しにくくもさせている。対象は悪なのだ。社会につくす能力に欠ける弱者は、ひとりたりとも対象にしたことがない」

「たしかだ。誇るべきことだな」

「さて、きょうの目標は……」

男が聞くと、同僚が写真を渡す。

「こいつだ。むこうから来る」

「なにをしでかした」

「医者だ。三歩病の死因に不審を抱き、おかしな動きがある。このままだと研究をはじめ、やがて、なにもかも……」

「わかった。あ、来たぞ」

命中。同僚は写真をもう一枚出した。

「しばらくここで待ちかまえる。こいつもやるのだ」

「この胸のバッジは……」

自分たちの胸につけているのと同じもの。

「この装置を私的に使用した。奥さんの浮気の相手を狙って、ボタンを押したのだ」

「気持ちはわかるが、それはひどい。この神聖な仕事をけがすものだ。油断をすると、悪はどこにでも入りこむ。切開手術だな」

ある日を境に

住宅地の夜の道。その三十歳ちょっとの男は、いささか酔って、自宅への道を歩いていた。

つとめ先の会社が人件費をへらすため、彼をやめさせてしまったのだ。気分をまぎらすためにバーへ寄り、グラスを重ね、いつのまにか酔ってしまった。

まだ独身だった。また、もともと器用なところがあり、ちょっとした仕事をたのまれることも多かった。そんなことで、食えない心配というのはしたことがなかった。

しかし、そろそろ便利屋めいた生活をやめ、定職につこうとし、それが実現してまもなく、このありさまだ。酔いたくもなるというものだ。知人を回れば、だれかがなにか仕事をやらせてはくれるだろうが、以前の状態に逆もどりだ。

おれは運が悪い。ついてない。安定した余裕のある人生にあこがれているのに。ふらふらした足どりで歩きながら、そんなことを考えていた。

「あなた、なってみたいものがありますか」

そばに人のけはいがし、こう話しかけてきた。もの好きだね、おれに話しかけてくるなんて。それとも、からかいか。男は酔眼もうろう、声の主を見ようともせず答えた。

「あるね」

「なんでしょう」

「福の神さ。な、そうだろ。あは……」

「よろしい。では、きまった。あなたは今から以後、それです」

肩をたたかれた。奇妙な感覚がからだを通り抜ける。少し酔いがさめた。

「いったい、どなたです」

男は目をこらし、あたりを見まわした。まず、声のした右側を見た。つぎに左側を見る。前方に目をやる。だれもいなかった。うしろを振りむく。ひとつ先の角を曲って去っていった影があったようだが、それが声の主かどうか、たしかめようがない。

だれかの、いたずらだろうか。しかし、たしかに会話をかわしたし、肩もたたかれた。通り魔のようだったなと思い、そこから悪魔という言葉を連想した。願いをかなえてくれる悪魔の話は聞いたことがある。もしかしたら、それかもしれない。だが、魂と引きかえなんて話はなかった。そして、おれがなりたいと願い、かなえられたらしいことが、なんと福の神なんだ。

帰宅して眠る。よく思い出せないが、むやみと豪華な夢を見た。

つぎの朝になると、男の心のなかで、自分が福の神であるという感じが、いっそう強くなっていた。おれが福の神でなくて、だれが福の神だ。だれかがやらなくてはならない役割りが、こっちへ回ってきたのだろう。

男は外出し、伯父《おじ》を訪れた。オモチャの工場を経営している。男は言った。

「じつは、ぼく、福の神になったんです」

「なんだって。妙なものになったな。まあ、いいだろう。だが、あまり他人には話さないほうがいいだろうよ」

「本当なんですよ」

「本当かどうか、どこでわかる」

「ぼくをやとってみませんか。業績はたちまち向上しますよ」

と男に言われ、伯父は考え、うなずく。

「そうか。おまえはせっかくつとめたのに、やめさせられたんだな。働き口をさがしてるってわけか。わかった、わかった。いいだろう。おまえの性格はよく知っている。

信用もできる。つぎの口がみつかるまで、ここの仕事を手伝ってくれ」

「期待にこたえてあげますよ」

男はその町工場へかようようになった。しばらくすると、売上げは急上伸し、生産がまにあわず、工場を拡張するまでになった。男は伯父に言う。

「いかがです。ぼくの言った通りでしょう」

「なんのことだっけ」

「この活気ですよ」

「たしかに、経営はいい調子だ。しかし、おまえがそんなことを言ったかなあ」

「言いましたよ」

「そうだったかな。で、それがどうだと……」

「ぼくの存在のせいなんですよ」

「なんだと。しっかりしてくれよ。たしかに、おまえはよく仕事をする。しかし、目をみはるといった働きではない。まあまあといったとこかな。ここが好調なのは、わたしが新しいアイデアのオモチャを思いついたからだ。それがヒットしたのだ」

「そうなったことが、つまり……」

「変なことを言い出すなよ。わかった。特別にボーナスを出す。どこか静かなところへ行って、休養してこい」

まともに相手になってくれない。男はがっかり。おれが福の神であり、その力をみごとに示したというのに、ぜんぜん信用してくれない。

面白くない気分で、男は伯父の工場へかようのをやめた。もらったボーナスで、二か月ほどは生活できた。そして、しばらくぶりに訪れてみると、伯父は大あわてしていた。借金が払えず、困りきっている。男は言う。

「大変なようですね」

「調子に乗って、作りすぎたせいだ」

「ぼくが来なくなったせいのような気がしませんか」

「おいおい、この忙しい時に、おかしなことを言わないでくれ。作りすぎと、人びとの好みの変化のためだ。原因はわかっている」

「ぼくを使ってみる気になりませんか」

「気の毒だが、今度はそうはいかん。給料を払うのだって容易でない。出費はできるだけ押える方針だ。わかるだろう。つとめ口なら、ほかを当ってくれ」

おれが福の神であることは、ちゃんと立証できた。それなのに、伯父はみとめようとしない。まあ、むりもないことだが。

いまになってみると、われながら、つまらないことを願ったものさ。福の神とはね。こういう実情とは知らなかった。自分では金をもうけられないんだからな。もっと年配で、どっしりとふとり、ふっくらした顔で、にこやかに笑っていればそれらしいんだろうが、どうにもならぬ。とにかく、おれを福の神にしてくれたやつ、悪魔かなにか知らないが、相当にいじの悪いやつであることはたしかだ。

男は求人広告を見て、ある大企業に就職した。もっとも、臨時社員という待遇で、そう重要な仕事ではなかった。働きはじめの日、男は所属の上司に言った。

「この会社は、まもなく活況を呈するようになると思いますよ」

「いいことを言ってくれるね。それをめざしてがんばってくれ」

「わたしのいまの話、忘れないで下さい」

「ふしぎなやつだな。おぼえておこう」

そして、それは三か月ほどして、現実のものとなった。なにかの話のついでに、男は上司に言う。

「わたしの言った通りになったでしょう」

「そうそう、きみだったな。珍しいことを言うやつだと、頭に残っていた。そうか、きみは占いをやるというわけか。たまたま的中という感じだが……」

「もっと確実なんですよ」

「ひとつ、参考のために聞いておくが、今後のみとおしはどうだ」

「わたしをさらに重要な役につけると、会社は一段と発展します」

と男に言われ、上司はあきれた。

「おいおい、ふざけるのもいいが、世の中、そういうユーモアは通用せんのだ。たしかに、会社の景気はよくなった。それは社員たちの努力の成果だ。きみひとりの功績ではない。きみを特別あつかいしなければならない事情はないのだ。そんなこと、重役に進言したら、一笑に付されるのがおちだ。わかるだろう」

「そうかもしれませんが、ものはためしという気にならないものでしょうか」

「だれをもなっとくさせられる話なら、可能かもしれない。しかし、占いがうまそうだからだけでは、なあ……」

「でしょうね」

男は福の神だとどなろうとしたが、それはやめた。おれは福の神であって、福の神になったと思い込んでいる変人ではないのだ。

時たま、頭のおかしいほうがまだましかとも思う。しかし、現実の福の神なのだ。しまつが悪い。いらいらする。なんとなく働く気がしなくなり、その会社をやめた。

しばらくし、その会社は経営危機におちいった。

男はその会社から迎えが来るかと待っていたが、来るわけがなかった。出かけていって話しても、わかってはくれないだろう。

男はべつな会社に臨時社員としてつとめはじめた。しかし、これまでにくらべ、いくらか利口になっていた。少しだが金をつごうし、その会社の株を買ってみたのだ。

やがて業績はよくなり、株価は上昇しはじめた。これだ。これを大がかりにやればいいのだ。男は銀行へ出かけて相談した。

「お金を借りたいのですが」

「なににお使いになるのです。住宅購入ですか、それとも……」

「株を買ってもうけるのです」

「冗談じゃありませんよ。銀行は堅い商売なんです。そんな投機には、お貸しできません」

「絶対にもうかるんですが」

「だめですよ。株に絶対なんて、ありません。ギャンブルに必勝法がないごとく、株もそうなんです。政治家と組んで操作をするならべつでしょうが、失礼ですが、あなたはそんな大物に見えない」

「どう見えます」

「ただの普通の人です」

ここでも、ただの人あつかい。

株でもうけるのも、自分の持ち金の範囲でやるしかない。となると、利益の額は知れているのだ。男はその会社の株を売り、行くのをやめてしまった。

それからは、つとめたりやめたりの生活をつづけている。知人と会い、話しかけられた。

「いま、どこにつとめてます。しょっちゅう、つとめ先を変えてますね。ひっぱりだこなんですか、しくじりつづけなんですか」

「自分の気持ちでですよ。あきっぽいんでしょうね」

「でも、そう転々としていては、昇給もしないでしょう」

「ええ、片手間に株をやってて、そっちがうまくいってるんでね。生活はまあまあですよ」

「株ですって。あれ、損することもあるわけでしょう」

「そうひどい目には、あわずにすんでいます。運がいいんですね。福の神がついているんでしょうね」

おれがそうだと言いたいところだが、そうもいかない。

「株式相場って、いろんな要素がまざって形成されるわけでしょう。その見きわめがむずかしいんでしょうね」

「まあね」

そのひとつが目の前にいるのに。

能力

その男は四十歳を越えていながら、まだ独身だった。聴覚に障害があったせいでもある。つまり音が聞こえなかったのだ。

普通の会社への就職はしにくい。しかし、生活はなんとかなっていた。資料を集めたり、古文書を読みやすく書きなおしたりというのを仕事とし、注文はけっこうあった。みとめられ、これだけの資料をもとに郷土史をまとめてくれといった依頼もあった。

それでも、やはり不便で味気ないだろうと思う人もいようが、彼の場合はちがっていた。耳は大学に在学中から徐々に悪くなっていったのだが、それをおぎなう形でテレパシー能力が鋭くなってきた。相手がなにを考えているのか、ほぼ完全にわかる。

ずっと独身だったのも、そのせい。なぜって、まあ、察しはつくでしょ。

相手の心のなかにこっちの考えを送り込むこともできるのだったが、それはやらない。不必要に驚かしてしまうにきまっている。また、うすきみ悪く思われるにちがいない。口はちゃんときけるのだし、すべてそれでことはたりた。

聞く手段は、声を文字に変える装置が出来てから、いちいちメモ用紙に書いてもらわなくてもよくなった。テレパシーだけにたよると、本音だけが伝わってきて、口先だけのおせじへの応答にまごつく。

というわけで、いちおう平穏な日々が過ぎていった。男は現状に満足していた。だから、自分の視力がおとろえはじめているのに気づいた時は、いささかあわてた。早く手当てをと考え、医者に出かけ、診断の結果、手術を受けた。

悲劇のすべては、そこからはじまった。

どの段階で手ちがいがあったのか、使用した薬品が正常なものでなかった。医者は非常事態に気づき、あらゆる治療法をこころみたが、視力はさらに悪化し、ついになんにも見えなくなった。

医者は男の手のひらに、指先で「全責任をおい、ずっと面倒を見る」と書き、わびた。いかにわびられても、耳につづいて目もだ。まさに、目の前がまっくらになった。絶望感におちいった。

装置が改良され、相手の声は点字となって表示され、知ることができる。また、そもそも、テレパシー能力があるのだ。

しかし、こうなっては面白いこともない。生きがいもない。男は思いつめ、病院を抜け出し、杖《つえ》をつきながら歩き、近くのデパートへむかった。何回も行ったことがあるのだ。エスカレーターで上へあがり、屋上へ出て、張られた金網からそとへ出られないかとさがし……。

そこで、はっと気づく。いったい、おれはなにをしている。自殺できそうな場所をさがしているのだ。さがしている。視力がないのに、つまずくことなくここまで来て、そういうことをやっている。どうやら、ある種の能力が身についたらしい。透視とでもいうのが。

なぜとか、どうしてとか説明はできないが、そばに若い女のいるのがわかる。その気になって精神を集中してみる。彼女が手に持っているデパートの包装紙に包まれている品が、頭のなかに映像となって伝わってきた。服の下のからだつきまでわかる。あまり美人でないこともわかり、それはほどほどにした。

なんという能力。しかも、前後左右がいっぺんにわかるのだ。なまじっか目が見えていた時より、すごいではないか。

男は黒眼鏡を買い、病院へ戻った。医者は迎えて言った。

「勝手に外出なさっては、危険でございます」

男はそれを装置の点字で知り、もっともテレパシーでわかってはいたのだが、とにかく答えた。

「いや、ちょっとそのへんまでね。運動をかねてだ」

「外出なさりたい時には、おっしゃって下さい。つきそいをつけます。すべてはこちらの責任なのですから」

「ありがたいが、いずれひとりで歩けるようになるのが目標だ。自立の精神までは失いたくない」

「ご立派なお心がけです」

しばらくは、つきそいの人に助けられての外出となった。いい気になって歩きまわったりしては、変に思われる。

やがて、退院し、自宅での生活に戻る。医者からは定期的に金がとどくし、保険の金も入り、食事は配達され、そのたぐいの心配はない。しかし、いささか退屈だった。仕事がないのだ。視力を失ったので、やれば出来るのだが、資料調べの注文がこなくなった。

外交関係の通訳をやるか。外国語はとくいでないが、テレパシーで本音はわかるの

だ。あるいは国際空港につとめるか。鞄《かばん》のなかは透視ですぐにわかる。しかし、いずれもこの特殊な能力を知られた上でのことだ。それがいいことかどうかは、ゆっくり考えてからでいい。

男は歩いて盛り場へ出かけ、酒を飲むことが多くなった。感じのいい店かどうかは、テレパシーでわかるのだ。だまって飲みながらお客たちの心をのぞくのは、けっこう楽しいことだった。

普通の人以上に周囲のことはわかるのだが、黒眼鏡と白い杖のため、いたわられることが多かった。ほどほどに酔い、引きあげる。

ある日、帰りがけに二人の若者にあとをつけられた。襲って金を奪うつもりらしいことは、テレパシーでわかった。目が不自由な人と知った上でとは、なんてことをする。近づいてくるのも透視でわかる。飛びかかられる寸前、男は杖を振るってるやつだ。二人は信じられないといった感情を示し、その場へのびつぎつぎとたたきのめした。

その二人、犯罪組織に属していて、反省どころか、男が目の不自由をよそおっているのだと思った。縄張り内でそんなことをされては……。

男は、やつらのしかえしがいかに理不尽でひどいものか、体験してみて、はじめてわかった。数人がかりで襲われた。透視能力もテレパシーも役に立たない。もう、さんざんな目に会わされた。

「目が見えるだけでもありがたいと思え」

そう言われ、やっとほうり出された時は、手も足も形容しようもないほどにやられていた。運び込まれた病院でなんとか治療してもらったが、もとのように回復はしなかった。

足の骨は折れ、神経も傷つけられていた。手の筋肉のすじも切られていた。すなわち、手足も不自由になってしまったのだ。歩くことも、物を持つことも。

さらに絶望的になるところだが、男は一種の期待のようなものを抱いていた。視力を失った時のようなことが起るのではないか。

はたして、念じるだけで物品を浮上させる能力の身についたことがわかった。テレキネシス。また、足で歩かず、念じるだけで移動できるテレポーテーションの能力も身についていた。これには自分でも驚いた。杖にすがって立ち、どこへと念じると、山や海岸へ瞬時に移り、いい空気が味わえる。視力はないが、それ以上の能力で風景が感じとれる。

それはそれとして、まずは襲ったやつらへの報復だ。ひとりずつ追い求める。テレポート能力があるのだ。いそうなところへ出現し、いなければすぐに戻る。いたらテレキネシスで首をしめあげる。一対一なら、優位にあるのだ。

少しはなれて、念力を作用させる。首への力をふりはらおうとすると、相手のみぞおちに一発くらわせる。それで、たいていうまくゆく。かくして、ひとりまたひとりと片づけていった。

手がかりは残さなかったが、やつらは犯罪組織。やられた連中の顔ぶれから、いつか襲った男のしわざとかんづいた。そして、予想以上に手ごわいことも。

ある夜、男が外出すると、強烈な殺意を感じた。どうやら、すご腕の殺し屋をさしむけてきたらしい。驚きと、自分が対象だとの確認のため、テレポートへ移るのが少しおくれた。弾丸をくらう。つづいて、もう一発。ついに一巻の終りのようだな。男はそう思う。肉体を失うわけか。となると、そのかわりに……。

そのかわりに、男は不死の能力を得た。テレパシー、透視、テレキネシス、テレポート、それらの超能力に加えて不死。そして、意識はちゃんとあるのだ。肉体がないのだから、だれにも見えない。

男はまず殺し屋をさがしてやっつけ、ボスの息の根をとめ、その犯罪組織の一味を壊滅させた。

その男の性格が気まぐれで残酷でなかったことを喜ぶべきだろう。彼そのものはとてつもない存在なのだが、善良な人をどうこうしようなんてことはない。しかし、人しれず悪いことをやって平然としているやつを始末することはある。悪人退治が好きになったらしい。その結果、その友人たちはわけがわからず、口にするのだ。

「あいつが変死するとはねえ。魔がさしたとしか思えないね」

解説

桜庭一樹

読者というものは、好きな作家のことは、出会いからなにからすっかり覚えているものだ。どこの本屋で、どんなふうに最初の一冊を手に取ったのか。そのときの自分は何歳で、なにをしていた頃か。どこまで信憑性《しんぴょうせい》のある記憶かはわからないけれど、学生時代であれば、本棚に手をのばしたときの制服の袖《そで》がごわごわとする感じや、その季節特有の、雨の匂いや空気の肌寒さ、それに、手に取った瞬間の本のざらついた手触りまで思いだせてしまう気がする。そう思えるほどに好きな本は、たいがい、ひとりで本屋を放浪していてみつけたものだ。ふと、本がわたしを呼ぶ。本屋に通い続けていれば、自分好みの物語とも出会いやすくなる。

でも、星新一の場合はちがった。

これは父の本棚にあったのである。記憶にまちがいがなければ、だが。星新一、小松左京、筒井康隆などが並んでいた。海外ＳＦも近くにたくさんあった気がする。わたしは昔から、ジャンルにあまり関係なくいろいろな本を読むのだが、子供の頃のことを思いだしてみるに、祖父母から買い与えられたのが世界文学の子供用シリーズで、母から薦められたのが日本文学、図書室などで自分でみつけたのがミステリだった気がする。そしてSFとは、父の本棚で出会った。星新一を初めて読んだのは小学校高学年ぐらいである。

これが、おもしろかった。意外なオチがあるところはもちろん、厭世的《えんせいてき》な未来観と、それでもうつくしいものを信じている気配が入り乱れているところに、子供ながら共感した。これまでにない読後感だった。今年刊行された最相葉月さんの『星新一　一〇〇一話をつくった人』（新潮社）を読んだら、昭和五二年に高校生に取ったアンケートでは、好きな作家のベスト1が星新一だった、とあった。ほかには横溝正史、松本清張、遠藤周作などの名前が挙がっていた。さもありなん、である。星作品の、なんというか〝シニカルな微笑〟のような独特の作風とは、覚えたてのシニカルを弄《もてあそ》ぶ、思春期に出会うのがもっとも幸福な気がするからだ。

星新一は一九二六年、東京の本郷で生まれた。父は星製薬の創業者。東京大学農学部を卒業後、同大学院に通う傍ら、二二歳から同人誌にショートショートを発表し始めた。二四歳のときに父が急逝し、星製薬の経営不振で大変な苦労をする。会社を人手に渡した後、三十歳のときにSF同人誌「宇宙塵《うちゅうじん》」に書いたショートショートが「宝石」に転載されて作家デビューした。作品を初めて一冊にまとめた『人造美人』が出版されたのが、一九六一年。一九六〇年代にショートショート集や長編SF、翻訳などたくさんの単行本を刊行した。文学賞の候補にも続けて名前が挙がり、一九六八年に『妄想銀行』で日本推理作家協会賞を受賞した。一九七〇年代初め、四十代半ばになった頃、作品がつぎつぎに文庫化される。文部省検定教科書に作品が収録されたためもあってか、若い読者が星作品を夢中になって読み、文庫に続々と重版がかかった。一九八三年、五七歳のときにかねてからの目標「ショートショート一〇〇一篇」を達成。銀座の資生堂パーラーでみんなでお祝いをした。その後もさまざまな執筆を行ったが、晩年は未来に読む若い読者のためにと、自作の改稿を続けた。一九九七年、七一歳で間質性肺炎のために死去。『星新一　一〇〇一話をつくった人』によると、星新一が最後に書いた原稿は、自身が審査員を務めたショートショート・コンテストでデビューした作家、江坂遊の文庫解説である。病をおして書いた、原稿用紙五枚半の最後の一行は「やれやれだ。ひと区切りというのは、すがすがしい気分だ。長生きしそうだ」であった。

　あの頃、わたしが父の本棚から借りたり、図書室で探して夢中になって読んだ星新一のショートショートを、大人になったいま久しぶりに読み返したところ、驚いたことがひとつある。子供の頃に感じたよりもずっと、寂しい物語や、灰色の未来の描写が多いのだ。特に「地球から来た男」と「夜の迷路」は、まるでついさっき書かれてインクもまだ乾いていないように思えるほど、まさにいま、わたしたちがここで感じている寂しさに満ちている、と思った。どうして知っているのかと、読み終えてため息をついてしまうほどだ。どこからともなく聞こえる、シニカルな微笑を浮かべた星先生の「住みごこちはどうだい」という問いに、読者としては「はて、いまこの辺はどうなってるでしょう」と首をかしげ、未来の一作家としては、つたなくとも真摯《しんし》に答えなくてはと逸《はや》る。大人になってから得た知識によって、SF界の巨匠、大会社の御曹司、ずっと昔の人、と、いつのまにか星新一を遠い存在のように感じるようになっていたけれど、そんなのは思い込みで「ほんとうは、世代や時代がちがう人とはわかりあえない、なんてのは幻想なのだ」としみじみ思う。きっとわかりあえる。この本の中でとくに好きなのは「包み」だ。子供の頃に読んだ記憶があって、気に入っていたけれど、いま読んでもやっぱりいい。読むとすごく寂しい気持ちになってしまうけれど、その気持ちは不思議なタイムマシンのように、星先生とわたしたちの心をつなぐ。心だけが時を超えて、わたしたちはなんどでも会える。

いつのまにか家にコンピュータがあって、クローン羊の登場や遺伝子操作の話にびっくりして、そういえば携帯電話を使っていて、この解説だって、できあがったら当たり前のようにメールで編集者に送るのだ。もしかして、あの頃SFで読んだ未来の世界に、いつのまにかわたしたちはたどり着いたのかな。文明の利器をなんなく使いながら、ときおりそう思って、はっとする。

こんなにも未来になったいま読んでも、星新一は変わらずおもしろい。デビューから、なんと約五十年。二一世紀になっても文庫の重版が続き、没後もこうして新装版が刊行される。世界各国で翻訳されているほか、日本国内では点字訳や朗読テープでも人気だという。星新一のショートショートは、この世にやってきたとき、新しいものだった。誰にも真似のできない異能だった。新しいものは常に注目の的になるが、時を経て普遍的なものになったとき、初めて本物になれるのだろう。表現をする人がこの戦いに勝つことはまれだし、だから星先生は偉大な、伝説の戦士であると思う。

地球《ちきゅう》から来《き》た男《おとこ》

星《ほし》 新一《しんいち》

昭和58年 5月25日　初版発行
平成19年 6月25日　改版初版発行
令和2年 1月20日　改版18版発行

発行者●郡司 聡

発行●株式会社KADOKAWA
〒102-8177　東京都千代田区富士見2-13-3
電話 03-3238-8521（カスタマーサポート）
https://www.kadokawa.co.jp/

角川文庫 14735

印刷所●旭印刷株式会社　製本所●株式会社ビルディング・ブックセンター

表紙画●和田三造

ISBN978-4-04-130322-1　C0193

角川文庫発刊に際して

角　川　源　義

第二次世界大戦の敗北は、軍事力の敗北であった以上に、私たちの若い文化力の敗退であった。私たちの文化が戦争に対して如何に無力であり、単なるあだ花に過ぎなかったかを、私たちは身を以て体験し痛感した。西洋近代文化の摂取にとって、明治以後八十年の歳月は決して短かすぎたとは言えない。にもかかわらず、近代文化の伝統を確立し、自由な批判と柔軟な良識に富む文化層として自らを形成することに私たちは失敗して来た。そしてこれは、各層への文化の普及滲透を任務とする出版人の責任でもあった。

一九四五年以来、私たちは再び振出しに戻り、第一歩から踏み出すことを余儀なくされた。これは大きな不幸ではあるが、反面、これまでの混沌・未熟・歪曲の中にあった我が国の文化に秩序と確たる基礎を齎らすためには絶好の機会でもある。角川書店は、このような祖国の文化的危機にあたり、微力をも顧みず再建の礎石たるべき抱負と決意とをもって出発したが、ここに創立以来の念願を果すべく角川文庫を発刊する。これまで刊行されたあらゆる全集叢書文庫類の長所と短所とを検討し、古今東西の不朽の典籍を、良心的編集のもとに、廉価に、そして書架にふさわしい美本として、多くのひとびとに提供しようとする。しかし私たちは徒らに百科全書的な知識のジレッタントを作ることを目的とせず、あくまで祖国の文化に秩序と再建への道を示し、この文庫を角川書店の栄ある事業として、今後永久に継続発展せしめ、学芸と教養との殿堂として大成せんことを期したい。多くの読書子の愛情ある忠言と支持とによって、この希望と抱負とを完遂せしめられんことを願う。

一九四九年五月三日

角川文庫ベストセラー

メガロマニア　恩田　陸

いない。誰もいない。ここにはもう誰もいない。みんなどこかへ行ってしまった――。眼前の古代遺跡に失われた物語を見る作家。メキシコ、ペルー、遺跡を辿りながら、物語を夢想する、小説家の遺跡紀行。

夢違　恩田　陸

「何かが教室に侵入してきた」。小学校で頻発する、集団白昼夢。夢が記録されデータ化される時代、「夢判断」を手がける浩章のもとに、夢の解析依頼が入る。子供たちの悪夢は現実化するのか？

おちくぼ姫　田辺聖子

貴族のお姫さまなのに意地悪い継母に育てられ、召使い同然、粗末な身なりで一日中縫い物をさせられている、おちくぼ姫と青年貴公子のラブ・ストーリー。千年も昔の日本で書かれた、王朝版シンデレラ物語。

ジョゼと虎と魚たち　田辺聖子

車椅子がないと動けない人形のようなジョゼと、管理人の恒夫。どこかあやうく、不思議にエロティックな関係を描く表題作のほか、さまざまな愛と別れを描いた短篇八篇を収録した、珠玉の作品集。

ほどらいの恋　お聖さんの短篇　田辺聖子

真面目が取り柄のオトーサンが十年間も浮気をしていたことに揺れる主婦。中年女のなで肩を水蜜桃のようだと愛した老人。ちょうどよい加減、「ほどらい」の男女の喜び、悲しみをユーモラスにしっとりと描く。

角川文庫ベストセラー

歌がるた小倉百人一首　田辺聖子

美しい日本の四季、永遠に変わらぬ人間の悲しみ、喜び、恋の悩みが歌い上げられている百人一首。その成り立ちから楽しみ方まで、古典に造詣深い著者がわかりやすく解説した、楽しい百人一首入門。

人生は、だましだまし　田辺聖子

生きていくために必要な二つの言葉、「ほな」、と「そやね」。別れる時は「ほな」、相づちには、「そやね」といえば、万事うまくいくという。窮屈な現世でほどほどに楽しく幸福に暮らす方法を解き明かす生き方本。

残花亭日暦　田辺聖子

96歳の母、車椅子の夫と暮らす多忙な作家の生活日記。仕事と介護を両立させ、旅やお酒を楽しもうとあれこれ工夫する中で、最愛の夫ががんになった。看病、入院そして別れ。人生の悲喜が溢れ出す感動の書。

時をかける少女〈新装版〉　筒井康隆

放課後の実験室、壊れた試験管の液体からただよう甘い香り。このにおいを、わたしは知っている——思春期の少女が体験した不思議な世界と、あまく切ない想いを描く。時をこえて愛され続ける、永遠の物語！

日本以外全部沈没　パニック短篇集　筒井康隆

地球の大変動で日本列島を除くすべての陸地が水没！　日本に殺到した世界の政治家、ハリウッドスターなどが日本人に媚びて生き残ろうとするが。時代を超越した筒井康隆の「危険」が我々を襲う。

角川文庫ベストセラー

角川文庫ベストセラー

ビブリア古書堂セレクトブック 栞子さんの本棚

夏目漱石・アンナ・カヴァン・小山 清・フォークナー・梶山季之・太宰 治・坂口三千代・国枝史郎・アーシュラ・K・ル・グイン・ロバート・F・ヤング・F・W・クロフツ・宮沢賢治

「ビブリア古書堂の事件手帖」シリーズ（アスキー・メディアワークス刊）のオフィシャルブック。店主・栞子さんが触れている世界を、ほんのり感じられます。巻末に、作家・三上延氏の書き下ろしエッセイ付。

宇宙エンジン　中島京子

身に覚えのない幼稚園の同窓会の招待を受けた隆一は、ミライと出逢う。ミライは、人嫌いだった父親を捜していた。手がかりは「厭人」「ゴリ」、2つのあだ名だけ。失われゆく時代への郷愁と哀惜を秘めた物語。

MISSING　本多孝好

彼女と会ったとき、誰かに似ていると思った。何のことはない。その顔は、幼い頃の私と同じ顔なのだ――。「このミステリーがすごい！2000年版」第10位！第16回小説推理新人賞受賞作「眠りの海」を含む短編集。

ALONE TOGETHER　本多孝好

「私が殺した女性の、娘さんを守って欲しいのです」。三年前に医大を辞めた僕に、教授が切り出した依頼。それが物語の始まりだった――。人と人はどこまで分かりあえるのか？ 瑞々しさに満ちた長編小説。

FINE DAYS　本多孝好

余命いくばくもない父から、35年前に別れた元恋人を捜すように頼まれた僕。彼女が住んでいたアパートで待っていたのは、若き日の父と恋人だった……新世代の圧倒的共感を呼んだ、著者初の恋愛小説。

角川文庫ベストセラー

at Home　本多孝好

母は結婚詐欺師、父は泥棒。傍から見ればいびつに見える家族も、実は一つの絆でつながっている。ある日、詐欺を目論んだ母親が誘拐され、身代金を要求された。父親と僕は母親奪還に動き出すが……。

注文の多い料理店　宮沢賢治

二人の紳士が訪れた山奥の料理店「山猫軒」。扉を開けると、「当軒は注文の多い料理店です」の注意書きが。岩手県花巻の畑や森、その神秘のなかで育まれた九つの物語からなる童話集を、当時の挿絵付きで。

セロ弾きのゴーシュ　宮沢賢治

楽団のお荷物のセロ弾き、ゴーシュ。彼のもとに夜ごと動物たちが訪れ、楽器を弾くように促す。鼠たちはゴーシュのセロで病気が治るという。表題作の他、「オツベルと象」「グスコーブドリの伝記」等11作収録。

銀河鉄道の夜　宮沢賢治

漁に出たまま不在がちの父と病がちな母を持つジョバンニは、暮らしを支えるため、学校が終わると働きに出ていた。そんな彼にカムパネルラだけが優しかった。ある夜二人は、銀河鉄道に乗り幻想の旅に出た――。

新編　宮沢賢治詩集　編／中村　稔

亡くなった妹トシを悼む慟哭を綴った「永訣の朝」。自然の中で懊悩し、信仰と修羅にひき裂かれた賢治のほとばしる絶唱。名詩集『春と修羅』の他、ノート、手帳に書き留められた膨大な詩を厳選収録。

角川文庫ベストセラー